Della stessa Autrice presso le nostre edizioni

Quasi un'estate
L'Albergo della Magnolia
Tutti i giorni di tua vita
Il mondo è cominciato da un pezzo
Se va via il re
L'amore mio non può
La sposa gentile
La notte dell'oblio
Il braccialetto

Una bambina e basta

Lia Levi

Una bambina e basta

edizioni e/o

Via Camozzi, 1 – 00195 Roma
info@edizionieo.it
www.edizionieo.it

Grafica/Emanuele Ragnisco
www.mekkanografici.com

Impaginazione/Plan.ed
www.plan-ed.it

ISBN 978-88-6632-454-6

Millenovecentonovantaquattro

Ha aspettato cinquant'anni Lia Levi a mettere per iscritto la storia che, forse, quella voce flebile di bambina le rinfrescava di tanto in tanto da dentro un guscio: cinquant'anni di memoria sedimentata, ricostruita e in parte arricchita. Nel dicembre del '93 il libro non era ancora uscito, quando La Stampa *titolò una sua intervista* Io, l'altra Anna Frank, *e chissà se fu giusto per offrire alle masse un parametro di inquadramento che* Una bambina e basta *non reclamava, oppure per semplice approssimazione. Ma è più facile che fosse solo una scivolata. E lei, Lia Levi, dice subito no, niente affatto. Con correttezza, qualche giorno dopo lo stesso quotidiano pubblicò la rettifica dell'autrice: «quel titolo [...] non corrisponde minimamente al mio sentire. Penso che sia superfluo ribadire il profondo rispetto dovuto alla memoria di Anna, simbolo della deportazione di tutti i bambini ebrei, sicché, solo pensare ad un qualsiasi accostamento o paragone, mi sembra fuorviante e blasfemo».*

Di accostamenti, è chiaro, ne arrivarono anche di altro genere: la penna di Lia Levi corre sulla scia di Natalia Ginzburg, e di Lalla Romano. Niente di strano e niente di male, indicazioni sempre utili al pubblico. Dal canto suo, a ogni modo, la Levi rispose così: «Confronti imbarazzanti, perché l'uso di un'espressione piana, di parole semplici, non da intellettuali, non ha richiesto alcuno studio particolare in campo stilistico. L'unico pensiero nel costruire una frase è stato sempre soltanto il rendere delle espressioni vere. È quanto mi interessa nei libri che scelgo di leggere: catturarne le emozioni. [...] Penso a Singer, a Kundera, agli scrittori della Mitteleuropa, soprattutto Roth. Per l'Italia le pagine più ricche me le ha regalate la Moran-

te»[1]*. Quest'ultimo nome è quasi un marchio del destino, dato che poi, nel settembre del '94,* Una bambina e basta *si aggiudica il premio Elsa Morante Opera Prima.*

Ciò che avviene nel '94 è che una donna colta e da tempo autorevole nel panorama giornalistico nazionale, non digiuna di sperimentazioni creative, ritaglia un pezzo della propria vita che va dal '38 al '44, lo spolvera con onestà intellettuale e delicatezza, ci mette un bel nastro e lo consegna "a tutti". E lo fa talmente bene che quel pezzo di vita, così impacchettato come una merendina a lunga scadenza (e lo dico in questo modo perché poi, fortunatamente, adulta ci è diventata anche lei), è arrivato alla ventesima ristampa e ancora non ne vuole sapere di starsene zitto e buono in un angolo.

[1] Da "Il ghetto della memoria", intervista di Monica Mondo a Lia Levi, su *Avvenire* del 29 gennaio 1994.

1944-94

Ma ecco, lasciate che faccia giusto un passo indietro: intanto, cosa c'è in quei cinquant'anni? Inizialmente, un temporaneo intorpidimento del senso di appartenenza religiosa. Al liceo Virgilio di Roma, la Lia Levi ragazza è immersa in un ambiente estraneo all'ebraismo. Mentre nel '48 nasce lo Stato di Israele, al di qua del mare l'interesse di molti ragazzi ebrei italiani è indirizzato per lo più alla politica nazionale della Repubblica. Sono per giunta anni di transizione in cui il trauma pregresso, lo stordimento della comunità in parte offuscano e decostruiscono la consapevolezza dei più giovani, al punto che taluni possiedono perfino una concezione frammentata e confusa del dramma della Shoah.

Poi arriva l'università, facoltà di filosofia. Sono gli anni '50, e Lia Levi comincia a frequentare il Centro Giovanile Ebraico di via Balbo, fra le cui attività figura la redazione di un bollettino. Ad alimentare la sua progressiva riappropriazione d'identità, poi, si aggiunge l'esperienza, vissuta con entusiasmo per tutta un'estate, di assistere i bambini ospitati nella colonia OSE (Organizzazione Sanitaria Ebraica) di Riccione. E così, un passo alla volta, il sentiero originario torna a essere visibile.

Lia Levi mette entrambi i piedi nell'ambiente della stampa ebraica quando nelle stanze del settimanale Israel *di Carlo Alberto Viterbo si libera una scrivania. Su quella scrivania, causa penuria di fondi, a volte c'è da lavorare gratis. In seguito, l'autrice collabora per diverso tempo con* La voce della comunità, *un progetto di lunga durata che nel '67, sotto la sua direzione, confluirà nel mensile* Shalom.

Non è un caso che Shalom *veda la luce appena quattro anni dopo che Gianfranco Tedeschi e il Circolo Weizmann si siano imposti la missione di rieducare autocoscienza e cultura identitaria delle comunità ebraiche, ma è il clima immediatamente successivo alla Guerra dei Sei Giorni a convincere in via definitiva Lia Levi, Alberto Baumann e altri intellettuali della necessità di un mezzo che consenta di orientare la voce della minoranza ebraica verso l'esterno, con un approccio incisivo, politico.* Shalom *– diretto dalla Levi dal 1967 fino alle soglie del nuovo millennio – finisce per diventare il mezzo di divulgazione principale delle comunità ebraiche italiane.*

Questo per dire che Lia Levi è una firma più che ragguardevole in ambito giornalistico; ma? Ma arriva un periodo in cui quasi per gioco si concede saltuarie scampagnate presso un altro versante della scrittura, redigendo di tanto in tanto brevi racconti non destinati al pubblico e alcuni sceneggiati radiofonici di quaranta puntate ciascuno (un exploit di cui all'epoca Luciano Tas, giornalista e scrittore nonché marito della Levi, non era particolarmente entusiasta).

All'improvviso, forse perché i tempi lo consentono, nel guscio sempre più sottile si apre una crepa: «Qualcuno ha detto che i ricordi sono come uova nel nido, li tieni caldi con l'affetto e si schiudono quando decidono loro. A me è successo proprio così». In tal modo nel '94 la Levi spiega a Franca Zambonini di Famiglia Cristiana *com'è che a un certo punto è arrivata la* Bambina. *O ritornata, a seconda dei gusti.*

1994-2014

E dopo quei cinquant'anni cosa c'è? C'è che è saltato un coperchio. Per prima cosa Una bambina e basta, *che nella iniziale concezione della Levi non era destinato a nessuna fascia di pubblico specifica, prende a sgomitare per conto proprio in ambiente scolastico, e proprio nelle scuole italiane diventa un testo di riferimento per l'approfondimento sulla questione ebraica e le leggi razziali. Succede poi che un qualche grande gruppo editoriale intraveda l'opportunità di aprire un varco all'ingresso della memorialistica italiana nel macrocontesto della narrativa per ragazzi, ancora per lo più occupato da autori stranieri, e così Lia Levi, ricevuto l'input di Mondadori, finisce per scrivere più di trenta opere destinate a bambini e ragazzi, in larga parte pub-*

blicate dal suddetto gruppo. Va peraltro citato un ulteriore contributo del fiume in piena Lia Levi all'educazione scolastica, ossia il saggio per bambini del 2001 Che cos'è l'antisemitismo? Per favore rispondete *(Mondadori) che ottiene il premio Grinzane Cavour nella categoria della saggistica junior. Nel frattempo l'autrice compone altri dieci romanzi per adulti, quasi tutti editi da E/O, fra i quali* L'albergo della magnolia, *che nel 2001 si aggiudica il Premio Moravia e nel 2008, in occasione dei settant'anni dall'emanazione delle leggi razziali, insieme a* Una bambina e basta *e a* L'amore mio non può *va a comporre la* Trilogia della memoria.

Non tutta la produzione della Levi è orientata al contesto delle leggi razziali, né il rapporto di finzione/realtà è costante in tutte le opere, sebbene molte di esse condividano un comune, reale sostrato tematico (e pertanto sono vere pur non essendolo); laddove la Bambina *aderisce quasi totalmente a fatti reali, e mentre* Una valle piena di stelle, *pubblicato da Mondadori nel '97 (e vincitore del premio Cento e del premio Castello), "pesca" dall'esperienza diretta di un Luciano Tas poco più che bambino, per l'occasione trasformato in un personaggio femminile, il romanzo del 2010* La sposa gentile *prende solo uno spunto dalla storia dei nonni materni della Levi, per poi ornarsi di abbondante invenzione narrativa. Per la serie "riconoscimenti importanti", nel triennio fra il 2005 e il 2007 la Levi riceve in sequenza il premio Andersen come miglior libro nella sezione 6-9 anni per* La portinaia di Apollonia *(Orecchio Acerbo), il premio Rodari per* Un cuore da leone *(Piemme), e infine il premio Simpatia–Oscar Capitolino perché* «La sua grande costanza, il suo grandissimo impegno personale la portano a testimoniare in tutte le scuole d'Italia. Si premia in Lia Levi l'amore che porta a curare una memoria collettiva che inizia dall'infanzia»[2].

Bene. Diciamo pure che in questa circostanza tutto ciò è poco più che di contorno.

[2] Tratto dalla motivazione della giuria del Premio Simpatia.

Adesso propongo di tornare indietro di nuovo, questa volta di settantasei anni.

Dimentichiamo – solo per ora, dico – gli interventi nelle scuole e l'impegno sociale. Copriamo con un telo la produzione narrativa di vent'anni: nascondiamo tutti i libri, siano essi per bambini, per ragazzi, per adulti. Via quindi anche il premio Elsa Morante – ecco, lo poggiamo un attimo qui. E facciamo fuori anche le sceneggiature radiofoniche redatte sotto pseudonimo (e forse a Luciano Tas strappiamo un mezzo sorriso). Oltrepassiamo famiglia, amicizie, collaborazioni; scansiamo alcuni anni complicati, il 1982, e il '68, e poi togliamo "Shalom", e... ma sì, già che ci siamo, sorvoliamo un'intera carriera redazionale. Vediamo scorrere veloce l'università, il CGE, e lo Stato di Israele che nasce, e il liceo Virgilio e la latitanza del credo, la guerra che è finita, le brigate ebraiche e i campi di accoglienza a Ostia, dove i bambini dormivano sulla sabbia, e tutti i giochi e le filastrocche, e se vincevano i tedeschi...

Adesso da qui a lì saltiamo. Ci lasciamo dietro anche Roma... tiriamo giù l'Italia tutta intera, come una coperta.

E poi finalmente siamo arrivati. Ci troviamo in un'altra città, fresca e un po' grigia. La riconoscete? È Torino. Se facciamo qualche passo su questa strada, più avanti c'è una casa, e dentro quella casa c'è una signora ebrea elegante e allarmata: sta per dire alla più grande delle sue tre figlie – la quale, forse sì forse no, è nata a Pisa il 9 novembre del '31– che deve cambiare scuola. Sì, facciamo in questo modo, mettiamoci qui, e facciamo anche silenzio perché dobbiamo ascoltare una vocina tenue che altrimenti non si sente.

Ci sono da raccontare sei anni colorati e spaventosi di una vita in particolare, che io ho a malapena riassunto così così, a volo d'uccello. Per raccontare quei sei anni come si deve è necessario, giusto, meraviglioso che Lia Levi si volti e torni a essere una bambina. E basta.

Fabrizio Garrucciu

La prima edizione di *Una bambina e basta* è stata pubblicata dalle Edizioni E/O nella collana Dal Mondo nel 1994, seguita nel 1997 dall'edizione tascabile. Fino a oggi ha avuto venti ristampe. Dal gennaio 1999 è stato edito anche da Mondadori Scuola nella collana Le onde e nel 2007 nella collana Corpo 16 per ipovedenti dalle edizioni Angolo Manzoni. È successivamente apparso in un'edizione speciale di cinquantamila copie come allegato all'*Unità* per il numero 6 del magazine *Storie di donne*. La compagnia La Nottola di Torino ne ha messo in scena una riduzione teatrale.

Una bambina e basta

MILLENOVECENTOTRENTOTTO

Non mi piacciono i grandi quando decidono di farti un discorso: si sentono evoluti e magnifici, ti guardano negli occhi, cercano il tono a mezza altezza... ora saprai tutto anche tu, ci penseranno loro a impacchettarti la notizia come una merendina.

Io non voglio ascoltare proprio niente, non perché abbia paura di chissà quali segreti, ma perché mi annoia tutto il teatrino. Questo non lo capiscono. Dal momento in cui hanno deciso di rovesciare nelle tue braccia il dono della loro confidenza, tu devi essere lì come un uccello neonato che aspetta il cibo dal becco della madre. E invece non è vero niente.

Tanto lo so già che c'è qualcosa nell'aria.

Tutto quell'agitarsi e parlare quest'estate sotto l'ombrellone e quel continuo andare a comprare il giornale in ogni momento. Una volta hanno preteso che ci andassi io a prendere all'edicola quel loro giornale. Io a sei anni sono timidissima e questa timidezza si è scelta da sola la sua parte in palcoscenico, con una vocina così tenue di fronte agli estranei che nessuno la sente. E così nemmeno all'edicola c'è qualcuno che si accorge di me. Provo a richiamare l'attenzione, ma proprio non mi vedono. Dopo un po' prendo la mia disperata decisione. Poso la moneta sul banco e piglio il giornale da sola.

Tutto a posto? Neanche per sogno. I grandi al mio ritorno si inquietano e si agitano. La moneta era grossa, troppo grossa per un modesto giornale. Doveva figliare un resto di un bel po' di monetine e non rimanersene intatta e abbandonata su quel bancone. Spedizione di grandi e bambini al chiosco, ma il giornalaio, dice, non ha visto nessuna moneta, anzi, con la faccia scura chiede che gli sia pagato il giornale.

Ma insomma, bisogna che un giorno la bambina qualche domanda la faccia, se no i grandi non sono contenti. «Mamma, perché comprate continuamente giornali in questo periodo?». «Ma noi abbiamo *sempre* comprato il giornale». «Sì, ma ora di più». «Beh, in Germania c'è un certo Hitler che ce l'ha con gli ebrei». «Ma allora è in Germania?». «Sì, sì, in Germania». «In Italia no, vero?». «No, in Italia no». E allora va bene.

Sì, va bene, ma intanto perché loro mi vogliono parlare? «Senti» mi dice mamma con la faccia dei momenti importanti, «quest'anno non potrai tornare alla tua scuola». Tutto qui? E a me che importa di quei muri grigi e arcigni? Ma è meglio dire qualcosa, se no ci restano male. «Perché non posso più andare alla mia scuola?». «Perché Mussolini non vuole più che i bambini ebrei vadano in classe con gli altri».

«Ah, sì?». Davvero poco interessante, ma è meglio continuare a comportarsi come loro si aspettano. «E allora dove andrò?». «C'è

la scuola ebraica dove c'è già tua cugina».
«Ah, va bene». E me ne torno a giocare.

Rimpianto per quella che devo lasciare – la «Coppino» di Corso Vinzaglio – nemmeno un po'. Mio padre, che deve assolutamente leggere il giornale prima di prendere cappotto e cappello, pretende di accompagnarmi lui e quasi sempre trovo il portone già chiuso.

Ogni volta mi viene in mente la figura di Peter Pan nel libro della Scala d'Oro, Peter Pan che batte i pugni alla persiana chiusa di casa sua e nessuno lo sente perché i genitori, dopo tanto soffrire per lui, si sono fatti un altro bambino. Invece qui è mio padre a suonare il campanello, e il bidello, di fronte a quel signore tanto educato, non osa rifiutare. E così per una bambina timida che non vorrebbe neanche esistere per gli altri, ci sono gli occhi di tutta la classe, canzonatori e speranzosi di qualche scena movimentata. L'insegnante, poveretta, protesta solo debolmente, ma intanto...

Un giorno la maestra vuole, chissà, forse a illustrazione delle virtù del latte, fare una specie di inchiesta su «cosa mangi a colazione». Uno per uno i bambini si alzano e raccontano i segreti del loro risveglio. La risposta corretta, quella che ti fa stare al calduccio della maggioranza, è «caffellatte con pane».

«Caffellatte con pane... nel caffellatte con pane...» sempre più veloce e giù a sedere nel banco. Questi sono i beati, i privilegiati. Appena un bambino dice qualcosa di diverso, la scena si arresta. La maestra vuol sapere cosa e perché e via e via... il discorso si fa lungo. Oh Dio, io sudo freddo, oh Dio... io sono allergica al latte e da sempre faccio colazione con cacao diluito con l'acqua o con tè e biscotti. La maestra mi farà domande... mi costringerà a parlare, parlare con tutta la classe che ti guarda... Non mi sento di affrontare questa prova, ma di mentire non sono capace, non me l'hanno insegnato. L'inchiesta prosegue, fila dopo fila, banco dopo banco... e presto arriverà il mio turno e so che non mi sarà possibile nascondermi.

Non ho ancora deciso cosa farò, quando mi accorgo che la mia voce flebile si è già scelta da sola il suo recinto sicuro: «caffellatte con pane», che diamine... ecco, è fatta, sono dei loro.

Una volta arrivano le giovani fasciste, tutte belle come le attrici del cinema. Mussolini vuole che anche in prima elementare ci sia una esercitazione di «lavori donneschi» e così a ogni bambina viene dato un pezzo di tela grezza, un ago e tanti fili colorati. Il trucco è di non fare il nodo in fondo al filo, ma di tenerlo con un dito fino a che, dopo i primi punti, il lavoro rimane bello saldo di per sé. Le ragazze bianche e nere passano tutte allegre da un banco all'altro, sostituendosi alle mani paffute e pasticcione e, con la scusa d'insegnare, finiscono col fare loro tutto il lavoro, tanto si sa, è quasi un gioco. Passano ridendo e al mio banco non si fermano mai, mi ammanta la mia stessa timidezza: sono invisibile. Intanto provo a fare il lavoro da me, ma ogni volta che tiro... zic... mi trascino dietro l'ago con la sua coda colorata e la tela sogghigna intonsa. Annegata nella disperazione, chiedo l'estremo aiuto alla mia voce: «signorina, signorina!...». Mi sembra di gridare dalla cima di un monte, ma forse è solo un pigolio che non arriva alle orecchie di nessuno. Nessuno mi ha visto e sentito e quando l'ora finisce sono l'unica a consegnare ago e filo da una parte e una tela immacolata dall'altra.

Insegnanti e commissari si guardano costernati... ma come è potuto accadere... perché, santo cielo... non mi sono fatta aiutare... Ma ormai ho consegnato... non si può fare più niente. E così sulla pagella, proprio perché non è possibile rimandare una bambina che non paga ancora il biglietto in tram, rimandarla così, per i «lavori donneschi», mi mettono un sospiroso «sufficiente» che ciondola mogio e grigio tra i più sfavillanti voti delle altre materie.

«Come mai questo "sufficiente?"» dicono subito alla scuola ebraica, la «Colonna e

Finzi». La mamma però ammicca: «Sa, i capricci del fascismo...» e tutti ridono.

Ah, la scuola ebraica, fatta di chiasso e colori: sembra una giostra. Dopo mangiato si gioca nei corridoi alla «berlina» e mai una volta che capiti a me di fare l'asino. «È piccola» sussurra imperiosa mia cugina Arianna e bambini immensi, i ripetenti dell'orfanotrofio israelitico, mi regalano gomme da cancellare e mozziconi di matite colorate.

E viene la Pasqua ebraica. Nella sala del refettorio è stato preparato un grande Seder, la cena rituale della festa con tutti i bambini, i genitori e gli ospiti.

Non so perché vengo scelta. In fondo sono entrata in questa scuola solo in seconda e non ho ancora imparato l'ebraico. Eppure sono lì, tutta fiocco e guance rotonde, a fare le «quattro domande». La maestra mi sussurra le parole in ebraico e io in piedi sulla sedia le ripeto al pubblico: «Ma nishtanà a laila azè... Perché questa notte è diversa dalle altre notti?...». Nella sala c'è il silenzio e sopra il mare di teste ebree... «perché le altre notti?». Quella voce di bambina sempre più alta, sempre più alta, sempre più forte e squillante. La voce, la voce...

Il francese

Papà è disoccupato e questo vuol dire che non esce più la mattina per andare in ufficio. Qualche volta ci accompagna ancora a scuola, ma prima andare con lui era un'emozione, adesso è come un gioco fiacco. Facciamo tardi come un tempo – ora c'è anche mia sorella, la seconda – ma in papà non c'è più quell'aria di eterno scherzo di fronte alla nostra ansia lagnosa di scolare zelanti. C'è poco da sfidare il mondo, è lui che ti ha dato uno strattone e ti ha buttato da parte.

Papà mi fa il ritratto... ora devo stare immobile mentre lui mi disegna più brutta di come mi sento. «Mamma, io non ho voglia di starmene lì ferma... mi fa male il collo...». Ma mamma risponde, troppo allegra:

«Non vedi come è bravo a dipingere il tuo papà?».

Io non lo so, ora, che lui pensa al suicidio. Certo, un uomo grande che non sa più cosa fare delle sue mani. Me lo ha detto mia madre tanto tempo dopo. Io so solo che quell'anno tutti si raccontano che la mia vera gioia è pattinare sul ghiaccio, e meno male che papà è così buono da accompagnarmi.

Muoio di freddo e di paura, ma se tutti lo dicono sarà pur vero che correre come pazzi con quel gelo sopra e sotto è la cosa più bella che ti può succedere al mondo.

Intanto mamma, un giorno, mentre io sono a tremare in quel bianco esilio, porta mia sorella al cinema a vedere *Katia, regina senza corona.* Nessuno spettacolo al mondo mai più mi ripagherà di tutto quello che ho sognato – e penso di non avere smesso neanche oggi – di questa regina Katia che mia sorella non mi ha saputo neanche raccontare.

Mamma, quando parla al telefono, dice sempre: «Vedi, lo hanno tenuto il più possibile... lo hanno mandato via per ultimo», come dire che nel suo ufficio volevano molto bene a mio papà.

Intanto a casa discutono, decidono e poi cambiano idea. Ce ne accorgiamo perché mentre parlano possiamo uscire di corsa e scappare a giocare in cortile con i figli della portinaia. C'è anche mia zia nella nostra vita... Mia zia è un po' troppo piccolina, ma ha due occhi verdi di prato. Quando sta ancora nella casa grande con mia nonna, la zia suona il pianoforte e insieme ai suoi fratelli ci prende sempre in giro. «Vieni, ti suono qualcosa... cosa ti piacerebbe?». Io annaspo in cerca di una risposta, ma la mia mente si smarrisce. «Non... non so... suonami *Giovinezza*». E tutti ridono come pazzi e cantano *Giovinezza*, con i tasti del pianoforte pigiati come l'uva d'ottobre.

Mia zia ha un'amica vestita da uomo, anche con la cravatta, e questo ci diverte molto, ma solo noi bambini, i grandi no. Comunque lei poi se ne va in Francia e compra una villa a Mentone.

Francia... Francia. Io non capisco bene, ma sento che a casa nostra la parola più importante è «Francia». Mio padre va per primo: solo per fare visita alla zia, dice. La trova insieme ai suoi nuovi amici, tutti allegri e scatenati perché hanno bevuto molto. «Il y a des trous sur le plafond», si pontifica ad alta voce nella stanza: una follia abbastanza modesta quella dei buchi sul soffitto, ma che ha girato per parecchi anni nella nostra casa, così nitidamente per bene, come il massimo di stravaganza e sregolatezza.

Ecco, dopo molti anni, quando abbiamo saputo che mia zia era stata fucilata, ho continuato a pensare alla sua statura così piccola e a quei soldati che forse avevano dovuto abbassare l'arma... e mio padre con le lacrime agli occhi, come se gli fosse venuto in mente in quel momento e non ce lo avesse invece raccontato tante volte... mio padre ci raccontava all'improvviso la scena del suo arrivo a Mentone e di mia zia con il suo «il y a des trous...». Ma questa è un'altra storia. Ora ci siamo noi e la Francia.

Loro hanno già deciso, anche se la visita di mio padre a Mentone non ha avuto nessun senso. Si andrà in Francia alla fine delle vacanze e anche questo noi bambine lo sapremo dopo. Per ora è sicuro solo che questa estate al mare, tre pomeriggi alla settimana, noi due sorelle più grandi dobbiamo andare a lezione di francese. Hanno già trovato la maestra, è tutto a posto.

Alla signora facciamo l'inchino come a tutte le amiche della mamma e diciamo la frase che abbiamo imparato il primo giorno: «Bonjour Madame, comment vous portez-vous?». Poi il buio.

Ricopio file di vocaboli, ho la testa tutta impastoiata, imparo bene come si scrive «reine», perché vuol dire «regina» e mi piace (forse sarà Katia) e sbaglio tutte le altre parole con la stessa regola, stesso dittongo. In fondo ho fatto appena la seconda elementare e per mia sorella è ancora peggio perché viene dall'asilo.

Quelle parole – accenti acuti, accenti gravi – e quelle lezioni nelle ore pomeridiane con tutti gli oggetti così accaldati e immobili, immobili come il mio cervello intorpidito, con i quaderni, la figura di mare in copertina, riempiti di nomi in fila come soldati e le piccole facili regolette senza senso... tutto questo è il francese.

Intanto le amiche in spiaggia aspettano e il ritardo con cui arriviamo è astiosamente disapprovato. Ma come? Voglio essere il «capo» e poi mi presento così tardi il pomeriggio?

All'inizio queste amiche di mare mi voltavano le spalle e storcevano il collo, poi io avevo messo su una recita, con prove tutti i giorni e da rappresentare con un gran finale, ed erano corse tutte a frotte come i piccioni sui cartoccetti del grano.

«Mi dai una parte?... E io, io cosa faccio?». Ce n'era per tutte. Solo una certa Ninì che mi odiava aveva avuto per destino il ruolo della regina cattiva. Tutta questa fatica... e ora?

«Ma perché, perché così tardi?». E io muta. Proprio io, la stessa che deve spiegare ogni gesto all'affannosa ricerca di una perenne assoluzione, che ha bisogno della benevolenza degli altri come di un cappotto l'inverno, proprio io mi prendo i rimproveri e taccio, taccio come se avessi la bocca incollata.

Non so bene perché, ma sono sicura che debbo tacere. Forse attorno a noi è successo qualcosa, ma io non lo so. Forse avere cambiato scuola non era una faccenda buona, forse era proprio una cosa brutta, anche se a me non è sembrato... Forse di questa nuova scuola non si deve parlare. Forse. Ma io non lo so.

Mia zia è in Francia, gli altri miei zii sono partiti per la Palestina, mio nonno non c'è più. Forse anche qui si nasconde qualcosa di segreto, di malato, ma io non so... non lo so. Non so perché mia madre ha guardato mio padre quando le abbiamo chiesto se potevamo iscriverci alla gara di castelli di sabbia sulla spiaggia... forse non erano contenti perché noi non eravamo così brave come i ragazzi grandi, magari aiutati un po' dai genitori... noi eravamo solo due bambine che hanno messo su un castelluccio con i merli fatti di sabbia bagnata e sgocciolata... Certo gli altri erano più belli, ma alla fine hanno chiamato anche il nostro cognome e premiato anche noi al trentottesimo posto... e mamma sembrava più leggera... o forse anche qui c'era qualcosa che non andava... forse era meglio non partecipare... io non lo so, davvero io non lo so. So solo che nella mia vita c'è qualcosa di riprovevole e segreto, colpevole, vergognoso, disonorevole, insensato e pauroso... Qualcosa che si chiama andare a lezione di francese.

Ecco perché mai, mai lo racconterò a qualcuno.

E continuiamo ad arrivare tardi. Finché un giorno capita che sulla spiaggia stanno facendo un gioco a cui correre subito, giusto giusto appena arrivate... e meno male che siamo capitate in tempo... oh, l'ingombrante involucro che ho in mano, non c'è nemmeno il tempo di depositarlo in cabina. «Dai qui, te lo tengo io» dice il padre della mia amica. E io, che mi vedo già nel gruppo, glielo lancio al volo mentre sto già galoppando nel «dopo». Sono sparita e i miei quaderni di francese restano lì, sulla sabbia, con la figura di mare sulla copertina sgualcita.

«Ah» mi dice la sera il padre della mia amica, «studi il francese?». Il suo tono è benevolo e incuriosito. Ma lui non può sapere che dentro di me ci sono i miei pezzi che stanno rotolando fino a ridursi in polvere, che la mia voce è inerte, che le mie gambe vorrebbero cominciare una corsa che non abbia più fine... ma nello stesso tempo hanno un crampo che le ha rese di sale. Quel signore così sorridente ha il ghigno del mostro, è il mio giustiziere, quello che mi sta additando al mondo.

Bonjour madame... comment... bonjour... madame... come posso essere caduta in questa colpa... questa colpa che oggi è stata svelata, messa là, segnata da frecce di luce... Ora lo sanno.

Ecco che improvvisamente dalla signora del francese smetto di fissare la pendola che si dondola perché ha troppo caldo e comincio a sgranare di corsa, una dopo l'altra, oltre a «reine», tutte quelle parole che erano rimaste fuori dalla porta... baleine, haleine, peine, veine, e ancora, ancora.

Non vado più alla spiaggia, mai più.

Addio Francia

È successa una cosa strana. È partita tutta la casa e noi siamo rimasti qui. È partita la nostra camera da letto di legno rosa disegnata da papà, il salotto, lo studio, i vestiti, i cucchiai, il tappeto di pelliccia, tutti i nostri giocattoli, meno quelli che ci eravamo portati in vacanza, la penna d'oro che mamma non ci lasciava toccare.

Noi siamo ancora al mare... ecco... siamo qui ed è come se tremassimo dal freddo nei nostri vestitucci estivi, anche se è appena l'inizio di settembre. Siamo come tartarughe o lumachine a cui hanno levato il guscio... siamo improvvisamente dei vermiciattoli un po' grigi... perché non abbiamo più stanze né cassetti da aprire per prendere le cose che servono. La nostra casa se ne è andata in Francia... tutta in Francia mentre giocavamo sulla spiaggia e noi con il nostro «bonjour madame» dovevamo correrle dietro, ora, a settembre.

Ma non si può. C'è la guerra in Francia e i francesi non fanno entrare più nessuno. Si sa solo che i mobili e tutto il resto mia zia è riuscita a metterli in un magazzino, ma di riaverli indietro se ne parlerà molti, molti anni dopo, quando di una stanza rosa non sapremo proprio cosa farcene.

Ora siamo qui e non riusciamo a capire affatto perché non si torna in città. Poi è buffo... Siamo di nuovo a Torino e abitiamo tutti in un albergo, nel mezzo della città. Tutti quanti, anche la donna di servizio, e la mattina quando ci alziamo andiamo a fare colazione in un bar, un fatto mai visto che mi fa strabuzzare gli occhi. Ho solo paura che in quel bar nella cioccolata mi mettano il mio nemico, il latte. La mamma glielo dice all'uomo del banco, «con l'acqua, mi raccomando», ma io sospetto sempre che da dietro le mie spalle gli faccia un segno.

La sera parenti molto gentili, con belle case piene di salottini, ci invitano a cena (a pranzo siamo da mia nonna) e io mi sforzo allo spasimo per finire la minestra, mentre a casa mia, dopo i primi dieci minuti di faccia infelice, avevo l'assoluzione.

A parte il latte e la minestra, mi sembrano delle giornate molto divertenti. Ormai vivere è come giocare.

Un giorno però viene trovata una nuova casa, anche quella proprio nel centro della città, dietro Piazza Castello. Diventa nostra con tutti i mobili dentro, perché quelli che l'abitavano prima sono partiti per l'Abissinia e li hanno lasciati lì per noi: mobili bellissimi con grandi specchi che fanno apparire il salotto come se fosse doppio. Mi sembra che ai miei genitori non piacciano, ma forse è perché quelli di prima li aveva disegnati mio padre. C'è un cortile interno in questa nuova casa e anche qui figli di portinai con cui si gioca benissimo. Ogni parente ci regala un oggetto, uno schiaccianoci grigio, un colino, delle presine amaranto e, bruttissimi, mi arrivano i vestiti e le scarpe di una mia cugina. Era molto più allegro ricomprare tutto, ma ormai siamo tornati zitti e seri come prima.

Vado alla scuola ebraica e nel nuovo tragitto conosco altri compagni. Al più bravo la maestra regala un libro. Questi più bravi delle volte sono più d'uno e allora la maestra sorteggia.

«Hai vinto nessun premio?» mi chiede mio padre... «Hanno fatto la sorte». Non è una bugia, hanno veramente «fatto la sorte», solo che io, che dell'aritmetica non ho capito cosa bisogna farne e resto attonita di fronte a quei numeri in fila, non sono tra quelli che aspettano il magico verdetto... io non sono fra quelli che debbono essere eletti, no, ma mio padre è sempre pacificato dalla mia risposta, «hanno fatto la sorte».

Torino è tutta un brivido d'inverno, ma mia madre, con la riga sopra gli occhi, vuole che si segua la regola di una passeggiata al giorno di almeno due ore. Fortuna che ora abitiamo in pieno centro e io con tante parole riesco a convincere la donna a portarci a prendere l'aria fra i banchi della Standa. Lì è solo tepore e oggetti colorati: siamo salve e come ci divertiamo!

Ma l'inverno passa e torna a girare la parola «vacanze». Dove andremo in villeggiatura? Mio padre e mia madre si mettono in viaggio per cercare un nuovo paesino ligure per noi. In quello dell'anno prima non si può più, chissà perché.

Siamo ai giardini di Piazza Carlo Felice ora, non c'è più bisogno di Standa, l'aria è una carezza. Parla Mussolini, ci sono gli altoparlanti e la sua voce arriva dappertutto. La domestica dopo dice: «Andiamo a casa» e ci fa correre sotto ai portici che hanno sacchetti di sabbia come quelli di farina del fornaio.

Stiamo dormendo noi due sorelle più grandi nella nostra camera e la più piccola col lettino accanto alla donna, quando la notte, proprio lei, la notte, sembra andare in mille pezzi. È tutto uno scoppio, grida, luci che si spezzano e soprattutto un fracasso, un fracasso insopportabile. Chiamiamo urlando. «Sono i fuochi d'artificio... stanno facendo finta... è una prova per la guerra...» dice la donna e la sua voce trema. Ci mette tutte e tre nel letto grande di mamma e papà e restiamo lì a sentire il mondo rotolare come da una montagna di pietroni che si sgretola dal basso. Ogni tanto c'è uno scoppio più forte e noi ci mettiamo a piangere. «Fanno finta... fanno finta...» continua a cantilenare la donna... ce lo dice ogni cinque minuti, come gli altri, da qualche altra parte, dicono «Ave Maria». Sarà vero che è tutto finto, ma quando torna il silenzio e le mie sorelle già dormono, comincia a suonare il telefono e sento la donna singhiozzare. Dall'altra parte c'è mia nonna. «Oh signora, signora...».

«Erano i fuochi d'artificio ieri sera, vero?» mi dice mia cugina il giorno dopo con lo sguardo malignetto e io rispondo «sì», anche se ho capito tutto.

Mio padre e mia madre sono tornati con l'affanno di tante ore di treno in più. «Ma come, ma come... non potevate scendere, andare al rifugio?». «Io non sapevo dov'era, non so neanche cos'è il rifugio» si difende la donna di servizio che, come tante altre, anche lei si chiama Maria.

Dov'è che si deve andare lo impariamo subito, la sera stessa. Questa volta c'è la sirena, la guerra è quella vera e il rifugio è poi la cantina della casa, dove si trovano in pigiama e soprabito tutti i nostri vicini e i bambini come noi con cui si può giocare anche la notte. Sarebbe bello, ma ormai io ho paura e tremo come al gelo delle strade invernali, solo che non mi salva nessuna Standa.

È strano, abbiamo fatto la guerra alla Francia, proprio a quella dove c'è mia zia e i nostri mobili che ci aspettano. E i francesi ci hanno mandato gli aeroplani a incendiare Torino subito la prima sera, appena Mussolini aveva detto che c'era la guerra contro di loro. Come hanno fatto a saperlo così presto questi aeroplani è un mistero, non ci hanno pensato nemmeno cinque minuti. Ma poi l'Italia è stata più brava, ha preso un pezzo di Francia e ora nella villa di mia zia comandano gli italiani: c'è una rete che le taglia via un pezzo di giardino e dietro la rete c'è la Francia. Ci sono sempre reti ora.

È stato molto difficile ma ci siamo riusciti: vedremo mia zia, dietro un'altra rete, forse il confine a Ventimiglia. Ci andiamo tutti, siamo così emozionati e mamma è contenta. Mia zia è buffa e allegra e ci racconterà anche per bene dove sono i nostri giocattoli. È lì, è sempre così piccola e i suoi occhi sono sempre verdi come pezzetti di prato, anche se ora piange un po'... ma non c'è motivo perché non è mica in prigione.

I nostri mobili e tutto quello che era nei cassetti stanno bene ordinati in un magazzino al calduccio, dice. Quando finirà la guerra li riavremo o loro riavranno noi se vorremo ancora andare in Francia. Ma la Francia ha perso e non credo che vada bene come prima.

Mia mamma si avvicina ancora di più alla rete e quando arriva il momento di andarcene, fra le maglie lei e mia zia si danno la mano, anche se devono accartocciare le dita... ma ecco che la mamma ha come una scossa, fa un passo indietro e si ferma frastornata. Il pugno è un po' serrato, come quando si gioca a «in che mano è?». Noi la guardiamo... lei apre cautamente le dita come se avesse raccolto un uccellino caduto dal nido.

Lui è lì: sfavilla, fa le capriole con la luce, sembra farci l'occhietto. «Lui» è il brillante di un anello, grandissimo, fastoso e rugiadoso, come quelli che i sette nani cavavano dalla loro miniera.

Mamma dice «no, no» e corre di nuovo verso la rete. La zia fa un passo indietro e non si lascia prendere. «Su, su, tu hai figli... io non ho nessuno...». E se n'è già andata. Mamma è ancora lì e ci guarda come se dovessimo spiegarle qualcosa. Poi ce ne andiamo, torniamo indietro stretti stretti e come appesantiti da quella presenza fra noi, la pietra che mamma con gesto incerto ha fatto scivolare in borsetta. È il brillante che un po' di anni dopo ci salverà la vita.

Roma

Papà ora ha un lavoro. Un signore gli ha detto che aveva bisogno di lui nel suo ufficio, solo che questo ufficio è a Milano e così noi dobbiamo andare ad abitare in quella città.

Partiamo tutti, anche la donna, Maria. Mentre stiamo facendo la nostra solita passeggiata, lenta lenta e noiosa, tale e quale come prima, solo che ora siamo a Milano, un signore chiede a Maria qualcosa in milanese e lei svelta svelta gli risponde in piemontese. La guardiamo e anche il signore la guarda e poi se ne va un po' confuso. «Non potevo mica parlargli in italiano» ci dice Maria ridacchiando, «se no sembrava che mi volevo dare le arie...».

Abbiamo una casa vicino al Parco e andiamo a una nuova scuola ebraica. Loro credono che sia arrivata una brava e così divento brava. Scrivo nei temi qualsiasi cosa mi passa per la testa e la maestra li legge molto contenta. Era tutto qui!? Se me lo dicevano, potevo fare lo stesso anche a Torino... Chissà, forse così riuscivo a vincere i premi davvero, senza far finta di concorrere alla sorte. A Milano mi premiano spesso e parlano molto. Mi pare di sentire voci più forti, più uguali alle nostre quando giochiamo con le amiche. A Torino c'erano come due lingue, quella dei bambini e quella dei grandi, che era come se parlassero straniero, uguale a quella di «Bonjour madame».

A Milano c'è una nebbia che ci nasconde tutti. Certe volte andando a scuola ridiamo con Maria perché non sappiamo dove siamo e quella nuvola densa e randagia ci dà mille piccole punture di spillo sulle mani, sulle gambe, è come un solletico... Milano è una città più affettuosa: avvolge tutti i suoi in un cuscino di piume e se li abbraccia stretti stretti.

I bambini in certi caffè, dove la luce viene da tutte le parti, trovano la panna, ma la tazzina e il cucchiaino sono di un cioccolato durissimo e modellato proprio come le vere tazzine di porcellana. Sembra di sprofondare in quel morbido bianco e zuccherino e si mangia tutto come cannibali, tazza e cucchiaio: è un passo nella felicità.

Ma quel signore che ha dato lavoro a mio papà, poco dopo cambia idea: il lavoro c'è sempre, ma non è più a Milano, è a Roma.

Roma è una città lontanissima e non ci conosciamo nessuno, non è come a Milano dove abbiamo un'altra schiera di parenti. Papà parte prima per andare a cercare una casa, poi viene a prenderci e ce ne andiamo di nuovo tutti via e questa volta Maria non potrà parlare in piemontese perché nessuno la capirà.

Un taxi ci porta dalla stazione alla nuova casa: è lunga lunga, e se ne sale da sola verso il cielo partendo da un prato, anche lei colorata di verde. «Che strana!» dice la mamma. È piantata in un nuovo quartiere che si chiama

Monteverde e un giorno avrà tante costruzioni tarchiate che le assomigliano a formare una piazza, ma sarà la nostra, e quella sola, ad essere chiamata per sempre «il grattacielo».

Ha un grande atrio con un bancone lungo per il portiere e due scale, una a destra e una a sinistra, che salgono fino al nono piano. Beh, nella nostra scala, proprio sulla nostra testa, c'è una famiglia di ebrei con tanti figli e nell'altra scala – lo sapremo dopo – ancora un'altra famiglia dove la signora è nientemeno che la direttrice della scuola ebraica. Non ci è mai capitato: noi di ebrei finora conoscevamo solo i parenti.

Cambiare ancora la scuola questa volta non è così facile. Siamo a metà dell'anno scolastico e sembra che loro abbiano studiato tutto diverso, più avanti, più indietro... «Ma noi a Roma le divisioni non le facciamo mica così... qui a Roma non si sottrae per scritto, si fa tutto a mente...». «Uno che ne riportavo... uno che ne riportavo...». Rischio di sprofondare nel buio delle mie prime classi, ma è tutta una finta. Sono loro ad avere paura di me, intimiditi da quel mio parlare con tutti i verbi e gli aggettivi al posto giusto da brava e diligente scolara del nord. Non si sognano davvero di giudicarmi, me ne accorgo, sono loro a sentirsi, chissà perché, sotto esame, e scalciano un po'.

È tutto così colorato! Qui, arrivando alla mattina non si entra direttamente in classe, ma si va insieme nel salone per riunirsi a capannetta attorno alla propria maestra... è come una figura di tante chiocce con tutti i pulcini... la maestra mette ordine: in fila per due, mentre quella che insegna canto è già al pianoforte e via con le marcette... «Andiam pel vasto mar...». Siamo marziali, siamo soldati che segnano il passo e prendono il largo verso la gloria e così, battendo bene i piedi, classe per classe sfiliamo con uno slancio che è quasi amore verso quella nostra aula grigiastra, con i vecchi banchi sonnolenti, appena degnati da un raggio di sole sbilenco e polveroso.

La fila è così: un maschio e una femmina, uno accanto all'altra, un grembiule bianco e uno blu, dai più piccoli ai più grandi. Prendo per mano il maschio che mi hanno messo accanto. Sono una bambina del nord fatta solo di buone maniere: la vita i genitori di Torino se la tengono per sé. Il bambino mio vicino diventa tutto rosso e si gonfia dello sforzo per resistere... è educato anche lui. Dietro e accanto a noi è il finimondo, ma io non me ne accorgo. Gli altri ridono, sberleffano, si danno calci e gomitate, si buttano a terra fingendo d'inciampare, fanno roteare gli occhi e si scambiano finti abbracci... e io non mi accorgo di niente.

Qualche mese dopo, quando ho già incominciato a capire, durante la ricreazione chiudono a chiave in classe noi due soli. Siamo io e quel bambino, che non essendosi più potuto scrollare di dosso la storia della manina, ha dovuto finire coll'innamorarsi di me. Qui ci sono amori, fidanzamenti, smisurate malizie... c'è tanto da imparare... Chiusa a chiave, quella volta piango, ma è l'ultima volta.

Mussolini qui è di casa e resto a bocca aperta per i discorsi che si fanno su di lui. Una volta alla scuola ebraica di Torino mia cugina mi aveva cantato una strofetta, facendomi giurare («dì giuro, giuro, giuro, tre volte» mi aveva detto) di non parlarne con nessuno: «Benito Mussolini / ne ha fatta una grossa / si è soffiato il naso / con la bandiera rossa», diceva la canzoncina. Mi sentivo soffocare, mi sembrava che questa frase brutta e un po' sporca su Mussolini fosse come essere maleducati, una cosa molto grave che avrebbe fatto assumere a mia madre quella faccia con lo sguardo duro e lontano che tanto mi spaventava. Ma non ero capace di tenere un così pesante segreto con lei. Mi tormentavo e cercavo, con un'ansia che mi stringeva allo stomaco, una soluzione che mi facesse salvare il «giuro» a mia cugina e il bisogno di farmi perdonare comunque da mia madre. Mi salvò il Negus. Forse maltrattare il Negus non era così maleducato. Mi misi davanti a mia madre e le dissi: «Senti questa canzoncina...». Poi, zoppicando nel ritmo, intonai: «Il Negus ne ha fatta una grossa...». Mia madre non riusciva a capire niente e smise di ascoltare dopo le prime parole.

Bene, erano passati sì due anni, ero più grande e avevo capito che parlar male del duce non era così grave, ma mai avevo sentito chiaramente un adulto dire qualcosa davanti a noi.

Ecco, ora in questa scuola dalla cattedra si rideva su Mussolini, i bambini scrivevano alla lavagna «Reduce : re» per fare la divisione dicendo: «Il re nel re sta una volta, abbasso il duce...», con la maestra che faceva finta di scandalizzarsi se qualcuno ne diceva una un po' grossa, ma si vedeva che era contentissima.

Sentivamo alla radio i bollettini di guerra e ogni volta che raccontavano che le nostre truppe si erano dovute «attestare su posizioni più favorevoli», la maestra diceva: «Sono scappati!» e tutti gridavano e salivano sui banchi.

Una volta era venuto l'ispettore dal Ministero e la maestra mi aveva chiamata. Aveva in mano il nastro tricolore che in realtà era il premio per il miglior alunno della settimana. «Su, facciamo vedere che siamo patriottici» e me lo aveva legato attorno al braccio, ma rideva. Neanche il premio che tanto mi teneva in ansia era una cosa importante: ero sbigottita, ma a casa non avevo detto niente e quindi mamma e papà erano molto contenti che il tricolore della settimana fosse capitato a me.

Per la festa di Purim i bambini dell'asilo fanno uno spettacolo. Nella scena finale, per mano e in girotondo cantano «Israèl buttalo giù...» e si accucciano per terra; poi «ti ritorna sempre su» e si alzano tendendo le braccia su su verso il soffitto... C'è l'ispettore, i genitori e molto pubblico. Che coraggio, dicono le mamme. Tutti sussurrano e guardano dalla parte delle autorità. Non si muove niente, c'è un gran silenzio e nemmeno i miei compagni si danno più calci.

«Israèl buttalo giù, ti ritorna sempre su... Israèl buttalo giù, ti ritorna sempre su» continuano a cantilenare i bambini.

Poi una madre si mette a piangere.

Maria

Maria non parla più piemontese per strada, si accontenta di brontolare in dialetto con mamma. Non che mia madre le dia degli ordini che non le vanno a genio, è proprio il contrario: è lei che non approva niente di quello che facciamo. Siamo tutti fastidiosi meno mia sorella piccola: l'ha vista nascere e la chiama «sua figlia». «È sua?», le chiedono per strada e Maria risponde di sì davanti a me che soffoco dalla rabbia. Mamma ha bisogno di Maria e decide sempre che ha ragione. Papà non compare. Già, lui non è capace di parlare con la gente di casa.

Abbiamo delle amiche che abitano nel nostro quartiere e vanno anche loro alla scuola ebraica. Una è in classe con me; anche lei rideva i primi tempi quando io parlavo con tutte le «e» strette, ma ora ci stiamo un po' impastando insieme e anche a me il fiocco blu a volte va storto. I genitori si sono piaciuti e ora i padri si mettono d'accordo per fare la strada insieme, giù in discesa fino alla scuola. Loro parlano – sappiamo bene di cosa – e noi davanti a mescolare segreti.

Ci sono gli alberi e gli uccelli di Villa Sciarra sul nostro percorso e al ritorno il guardiano mette fuori dalla finestra la radio che dice forte il bollettino di guerra e tutti ascoltano in piedi. So già che i genitori, dopo, diranno la loro parlando fitto e ho un brivido di piacere. Siamo un cumulo caldo ora, non più sparuti inquilini di sempre nuove case.

Al pomeriggio andiamo alla Villa con Maria. Con noi vengono anche le amiche, ma Maria non le vuole. Dice che lei non è la donna di tutta Villa Sciarra. Noi scalciamo perché senza amiche non ci divertiremo mai e per una volta la mamma è dalla nostra parte. «Le porterò io allora» minaccia, anche se non ne ha nessuna intenzione. Ci ha finalmente scelto, brandisce per noi la spada di Clorinda. Maria arretra, perplessa e sconfitta... beh... allora... per lei e i suoi fidanzati il pomeriggio al giardino è importante.

Siamo un gruppo forte e traboccante. Facciamo squadre di «guerra francese», chiamata anche «rubabandiera», e diventiamo irraggiungibili. Da Trastevere per batterci salgono bande di ragazzi tarchiati con ciuffi arroganti, ma vinciamo sempre noi.

Ai piedi non abbiamo scarpe, ma grossi calzini di cotone fatti a mano da qualche nonna e riusciamo a schizzare come sassi lanciati da una fionda. Siamo il vento sul mare, nessuno ci ferma, nessuno ci prende.

Anche Maria ha vinto: sta da un'altra parte del giardino con mia sorella piccola e a noi ci vede solo per fare, arcignamente muta, la strada del ritorno.

Siamo gli unici ad avere la donna di servizio, perché agli ebrei è proibito. Ma mio padre è «discriminato», così c'è scritto sui fogli che ci hanno dato, ma questo lo sapevamo anche prima perché è figlio di un ufficiale caduto in guerra, quella del '15-'18. Mio padre fa anche parte di una associazione che si chiama «orfani di guerra». La prima volta che l'ho sentito avevo avuto come un riso un po' ottuso. «Tu? Orfano? Ma come?...». Per me gli orfani erano i bambini con la mantella che venivano alla scuola ebraica di Torino, e tutte le Cosette, la piccola Giovanna, quello di *Senza famiglia* e la folla di quei poveri derelitti che tenevano compagnia alle mie lacrime... non uomini grandi che facevano già i padri...

Mio nonno, mi racconterà poi mio papà, era morto tanti anni fa a Caporetto, sì, mio nonno, quello che ti guarda troppo goffo e mite dal buco nero del quadro grande del corridoio, lì nella sua ridicola divisa come da postino. Quando lo sbircio passando, corre fra noi un brivido di fastidio e complicità: ci scambiamo il reciproco segreto della nostra impacciata timidezza.

Comunque questo nostro essere «discriminati» era anche l'ultimo scampolo di privilegio, ma dopo un po' il mantello era diventato stretto.

Veniva a casa uno, gentile, della questura, e diceva: «Non si può». Un giorno ci aveva portato via la radio, sempre dicendo: «Non si può», ma poi, forse perché eravamo ebrei «speciali» o forse perché bastava insistere, la radio finiva per tornare a casa. Come Maria. Anche per lei ogni tanto quello della questura diceva: «Non è possibile», ma poi tutto tornava normale.

Un'altra cosa che ha un «non si può» è andare in villeggiatura, ma lì per noi non serve il solito mantello del nonno di Caporetto. C'è un'altra nonna, la mamma di mia mamma. La nonna prende una casa al mare e noi, solo noi bambine, andiamo da lei.

Allora è chiaro che mia nonna non è ebrea. Sul cassettone di camera sua c'è una testa celeste di ceramica che sembra proprio una Madonna. Lo avevo chiesto a mia madre tanto tempo fa se quella era una Madonna. «No, è una statua» aveva risposto mamma, brusca e assente... per lei a volte bastava quel tono a frantumare i problemi, a ridurli in una polvere che si dissolve nell'aria.

Così ora noi partiamo e andiamo per tutta l'estate al mare a casa della nonna. Lei ne è deliziata. Ci pesa all'arrivo e poi ancora prima di ripartire, per far vedere come siamo state bene in braccio a lei. Quella di farci tornare in città ingrassate è la sua fissazione. Riesce perfino a barare facendoci tagliare i capelli per fare apparire il viso più rotondo. Intenta e misteriosa ci fa preparare dalla sua Cesarina piatti raffinati e sconosciuti e un dolce ogni sera, veramente ogni sera.

Mia nonna vive di sontuosi pettegolezzi, segreti inutili, dispetti e ammiccamenti con Cesarina e le amiche; racconta in giro di noi e davanti a noi cose non vere facendoci apparire a volte meglio e a volte peggio di quello che siamo. Va pazza per i sotterfugi e le strade contorte: ed ecco tutto il nostro ordinato mondo dove nessuno mente e tanto meno i grandi con i bambini, va giù rotoloni come da uno scivolo col vento che alza le sottane.

La nonna una sera decide che mi porterà al cinema all'aperto, ma deve essere un complotto: mia sorella, che ha poco meno di me, è decretata «troppo piccola» e la nonna mi obbliga a fingere di andare a letto facendomi mettere sotto le coperte tutta vestita.

Il cinema all'aperto sotto le stelle dove danno *Torna caro ideal* mi fa fremere di gioia e di pianto, ma il giorno dopo mia sorella scopre tutto e si mette a urlare. Così, per calmarla, ce ne torniamo al cinema un'altra volta. Come è più bello questo mondo arruffato e sghimbescio e come è emozionante mordere l'ingiustizia dalla parte giusta!

Anche per farci tornare in città dopo tanti mesi, la nonna pensa a uno scherzetto, a un ridacchiante segreto e decide di non avvisare mia madre del giorno preciso del nostro arrivo, «così le facciamo una sorpresa», ma la mamma questa volta ha ansia di noi e da una settimana va tutti i giorni alla stazione e così quando scendiamo dal treno con Cesarina ci vede subito e addio sorpresa.

Maria è a casa che ci aspetta, col solito umore arcigno e possessivo. Ma questa volta l'uomo della questura è definitivo: «Non può più stare a casa di ebrei, se ne deve andare». Andarsene? Maria? È come dire che non potrà più piovere. La pioggia è noiosa perché c'imprigiona a casa, ma come sarebbe un mondo senza pioggia?

Parlano e parlano, poi i miei decidono di chiedere alla vicina di casa se vuole fare finta di avere Maria al suo servizio. Maria dormirebbe lì da loro e per farsi accettare potrebbe verso sera aiutare un po', lavare i piatti o cose del genere, e per il resto rimanere sempre da noi come prima. I vicini accettano, evviva, Maria resterà con noi, appunto, come è sempre stata.

Maria è la solita Maria ammusata e famigliare, anche se provo un moto strano quando la vado a chiamare nell'altra casa e lei apre la porta con un grembiule che non conosco. «Ho da fare... hanno ospiti» e un pomeriggio va via presto e poi...

Poi c'è sempre qualcosa di nuovo, qualcosa che dall'altra casa si ingigantisce e ci schiaccia, espandendosi come una immensa medusa che si stiri dopo il sonno.

Oggi ci sono arrivati gli armadi, il bambino di là ha la febbre, sta aiutando la signora a mettersi i bigodini. La signora della porta accanto è bionda, un po' monumentale e dolcemente ottusa. Lei è la signora e quella è la *sua* donna, anche se la paghiamo noi. La signora ci guarda con i suoi piccoli occhi stupiti e quasi non ci mette a fuoco quando sempre più insistentemente suoniamo il campanello per reclamare Maria. Ma come, lei ci fa un piacere, cosa vogliamo?

Maria ha preso la forma della sua nuova casa. Anche lei ormai pensa di farci un piacere ad attraversare il pianerottolo e quando è da noi non fa che raccontarci i particolari di quella stupida famiglia senza interesse, con quel tetro bambino che chiama la pipì «piscia».

Maria, noi siamo così... così simpatici e indifesi, perché non te ne accorgi? Una sera, quando ancora una volta ci attacchiamo al campanello – ma insomma, chi ci prepara la cena? – lei ci apre tutta di lusso, con il camice nero, il grembiulino bianco, la crestina in testa, assorta ed eccitata. «C'è un ospite, un parente, uno importante, un podestà... su, su, presto, andatevene, che ho tantissimo ancora da fare» e quasi spinge la porta.

Maria, cosa fai, ci stai cacciando? Questa non è la scuola, non è il lavoro che papà ha perduto, le città del nord che per noi sono svanite nella loro nebbia, i nostri mobili che dormono in Francia, questa è Maria, è una di noi, un pezzo della nostra famiglia, il cattivo tempo della nostra giornata... Maria, cosa stai facendo in quella casa con i mobili a vetrina... guarda noi, Maria, riconoscici...

Ma lei ha già chiuso. Per sempre.

L'ARRESTO

Hanno chiamato papà in questura. Perché? Come al solito loro, i grandi, non vogliono farci partecipare alla vita, ma noi ci accorgiamo che la casa è scossa da un fremito, come se avessimo tutti l'influenza con la febbre. Ognuno guarda di nascosto l'altro, ma poi volta subito la testa.

Maria ha preso la forma di un'altra famiglia come un budino nello stampo. La radio è stata portata via. Cosa possono volere ora da noi?

Perché poi chiamano papà, che è un signore che quando saluta fa anche un inchino? Era meglio se andava la mamma, che sa fare a pezzetti le persone solo a guardarle.

Poi papà torna. E allora? «Tua sorella» dice alla mamma. «Mia sorella?». «L'hanno arrestata a Mentone». Hanno arrestato la zia, ma perché? Nei nostri libri gli arrestati sono ladri, assassini, uomini scuri col coltello tra i denti, facce con ghigni terribili, non le zie che suonano il pianoforte.

Non si è capito bene, dice papà, forse la zia faceva una specie di contrabbando, qualcosa di strano lì al confine Francia-Italia. Per fortuna lei è l'unica italiana del gruppo degli arrestati e dato che quelli che l'hanno presa sono proprio gli italiani perché Mentone l'hanno vinta alla guerra, con la zia sono tutti più buoni. Prima del processo, se noi la vogliamo, possono farla venire a Roma con un permesso di dieci giorni. Le hanno detto che poteva andare a casa: la zia ha una madre, cioè nostra nonna, ma ha scelto noi, siamo noi la sua famiglia. La zia ci vuole bene e arriverà a proteggerci dalla nostra ansia per lei. Anche se non capisco affatto come mai l'hanno arrestata.

E qui a casa è arrivata una sera accompagnata da un poliziotto senza divisa: la zia ha un impermeabile lungo lungo che le arriva quasi ai piedi. Mentre ci abbraccia piange, ma poi ride per la gioia di essere con noi.

«Zia, cosa è successo? Perché ti hanno arrestata?». «Perché... perché... è tutta una cosa confusa, uno sbaglio».

Ecco, la zia ha la casa fra la zona che è Italia e la zona che è Francia, così il suo giardino è tagliato in due. Il confine è poi una semplice rete nemmeno tanto alta. E così, ci racconta, le famiglie divise o gli amici le chiedevano «s'il vous plaît madame...». «S'il vous plaît... potrebbe passare questa lettera, questo pacchetto, questa borsa con qualcosa da mangiare».

Ma certo, la zia è così gentile, e poi all'interno del suo giardino non è una gran fatica. Beh, non era vero niente. Quelli non erano amici o parenti di gente dall'altra parte, erano partigiani francesi che passavano messaggi e cose proibite attraverso quella straniera così sciocca e distratta.

Rimaniamo a bocca aperta. Perché hanno preso in giro così la zia? Ma poi lei non l'ha spiegato che era tutto un inganno a quelli che l'hanno arrestata? Certo che l'ha spiegato, ma non le hanno creduto.

Non le hanno creduto! Strano, a noi hanno insegnato che quella che dice bugie è gente diversa, dello stesso tipo dei ceffi delle storie dei vicoli bui, non le persone che conosciamo noi.

Ma ora la zia è a casa nostra, parla e parla, un po' ci dà abbracci improvvisi e forsennati che ci lasciano confuse, un po' si butta in crisi di pianto, seguite di nuovo da un'allegria frenetica e un po' finta che ci lascia ancora più confuse.

Dice che per carceriere ha delle suore che sono delle «porche» e noi lanciamo occhiate supplichevoli a nostra madre chiedendole, certo senza saperlo, di riconsegnarci il nostro lindo mondo, ordinato come i quaderni di «bella copia» che hanno un foglio bianco nella prima pagina in modo che ci si possa scrivere con cura nome, cognome e classe, dentro una bella cornicetta disegnata a piacere con foglie e fiori.

Poi improvvisamente diventano tutti ottimisti. Il fatto che la zia sia ebrea questa volta non c'entra per nulla, forse nemmeno lo sanno. La storia di tutto quel traffico di messaggi non è così come la credono loro, la zia è italiana e non ne sapeva proprio niente: al momento buono ci sarà solo un chiarimento, niente di più di un chiarimento. Non resta che aspettare il processo, quando quegli stranieri che hanno organizzato l'inganno spiegheranno chiaro che la zia era solo una vicina di casa molto gentile.

La zia quando è di umore allegro ci racconta dei soldati italiani che ora stanno lì proprio davanti al suo giardino. Erano così contenti di aver trovato una che parlava come loro. Era diventata amica di un ragazzo con un bel faccione rosso di contadino e quando gli aveva raccontato che anche lei coltivava la terra non ci aveva creduto e si era sentito preso in giro. «Faccia vedere i calli» aveva azzardato. E la zia glieli aveva mostrati perché era vero che, rimasta senza soldi, faceva crescere ortaggi in giardino.

«Farà ginnastica...» aveva mormorato come fra sé, sempre più imbarazzato e confuso, il soldato. Come ci era rimasto quando l'avevano arrestata! Dice la zia che si sentiva colpevole come se davvero l'avesse tradita.

Senza soldi la zia. Questa sì che è una novità. E lei, con tutte quelle smorfie che vogliono dire «je m'en fous», si lascia scappare che sono stati i suoi amici più intimi, quelli che si erano accampati a vivere da lei al tempo di «il y a des trous sur le plafond», che le avevano parlato chiaro: «Sei ebrea, ti porteranno via tutto, dacci i tuoi soldi, te li terremo noi», e lei li aveva consegnati ai suoi più grandi e allegri amici, quelli che facevano con lei la famiglia, la coppia Cassin. Poi un giorno i Cassin erano scomparsi per sempre, ma la zia diceva «je m'en fous».

Alla zia bisognerebbe forse rendere l'anello, quello che aveva passato alla mamma attraverso la rete «per i giorni brutti». Ora i nuvoloni dei giorni brutti sono tutti dalla sua parte, ma lei dice no, che non è niente, che fra poco tornerà dai suoi ortaggi e da quel soldato con la faccia rossa.

Mentre la zia ci racconta, i dieci giorni sono belli e passati. Un pomeriggio spunta il solito uomo della questura, ricompare l'impermeabile lungo di chissà chi e la zia svanisce nel vano buio delle scale.

Dopo qualche tempo, triste e molto silenzioso, ecco ricominciare a correre quel vento di ottimismo che già ci aveva tenuto compagnia mentre la zia era con noi: si carica per forza misteriosa fino a diventare un'aura primaverile e sbarazzina, quasi fossimo di fronte a una burla di cui siamo stati complici o artefici e che ora si scioglierà in una semplice spiegazione finale. Il processo, il processo è ormai per tutti solo il momento in cui le cose torneranno al loro posto e comincia a essere atteso come una lieta ricorrenza di famiglia, una specie di Rosh Hashanà o forse Purim.

E sotto questa carezzevole brezza mia madre, che ha ottenuto con molta fatica il permesso di assistere all'udienza a Ventimiglia, decide improvvisamente di approfittare di una convalescenza che mi tiene lontana da scuola nei dieci giorni dopo la fine della malattia per portarmi con sé. Forse ha smesso di tenermi sotto la gronda, o forse pensa che in fondo è come Purim, e allora c'è posto anche per i bambini.

E così sono seduta su una brutta sedia e sono al «processo» in una grande stanza dai muri tutti scrostati.

Poi tutto si confonde. Penso convulsamente al gioco dei cubi di legno di quando eravamo piccole e qualcuno si divertiva a togliere il pezzo della torre che stava più in basso e che precipitava con tanto frastuono. Qui tutto sta rotolando, qui tutto sta urlando, suonano le campane che ti assordano e non riesci a sentire bene le parole dietro a quel fracasso. I lineamenti di mia madre non sono più i suoi, si muovono e si deformano, compongono un nuovo volto che non conosco e che poi torna a torcersi e a stravolgersi. Mi sembra che mia zia sia immobilizzata in un grido che non finisce mai e io sto aggrappata con le mani alla sedia come se fossi su un mostruoso ottovolante che ha perduto il controllo.

Perché lì al banco continuano a sedersi quei francesi, un uomo grosso, uno più giovane con gli occhi di carboncino, una ragazza smilza e ognuno di loro dice «sì», «sì, certo», «sì, lo sapeva anche lei, eravamo d'accordo», «sì, lo sapeva»?

Stanno mentendo tutti. Mentono. Avevo già incontrato la menzogna, ma non l'avevo ancora vista vincere da trionfatrice. Qui è sulla cima del monte a bandiere spiegate, qui è sul cavallo che s'impenna e mia zia, così piccola sotto agli zoccoli, è uno straccio colorato trascinato nella polvere.

Mamma, perché non mi svegli, perché non mi aiuti spiegandomi che ora va tutto a posto? Io ti guardo fissa, ma tu hai dimenticato che devi farmi qualcuno di quei cenni tranquillizzanti a cui mi hai abituata. Non è giusto, non puoi cambiarmi così in un'ora il profilo del mondo.

La sera la mia convalescenza finisce con un ritorno della febbre.

I francesi credevano che i giudici sarebbero stati indulgenti con lei perché era italiana e speravano di accodarsi al suo destino. È successo proprio il contrario.

Poi abbiamo vissuto quei pochi mesi prima della tempesta finale ad aspettare l'appello e cercare a nostro modo di fare qualcosa, ma eravamo ebrei e quasi non avevamo mani.

E dopo è venuto il settembre del 1943.

french thought she would get off
well enough since she was Italian
so they said she was guilty and
hoped they would get off lightly
too if they were doing this activity
too, proving she really was innocent
but it didn't go well.

end of age of innocence for girl.
Sees mother is upset by trial

Settembre

Ci hanno dimenticate. Siamo libere. Lo sguardo dei grandi scavalca le nostre teste e noi siamo le formichine che si organizzano frenetiche la loro microscopica città, ma anche le cicale che volano all'impazzata un po' stolide e gracchianti.

Villa Sciarra è il nostro regno ora che andiamo da sole, ma anche la piazzetta vicino a casa dove mischiamo i nostri giochi alla polvere.

Abbiamo messo su uno spettacolo teatrale, dato che quest'anno non si va in villeggiatura neanche dalla nonna.

Una sera di luglio c'è stato un grande fracasso, voci alte e disordinate a casa nostra. Tutto quel rumore ha interrotto il nostro sonno. «Mamma» il tono era risentito, «guarda che ci avete svegliato!». E mia madre, tutta ridente ed eccitata: «Bambine, è caduto il fascismo, stiamo brindando con i vicini!». Di scusarsi per il trambusto nemmeno l'idea, di dispiacersi un istante per aver turbato il nostro immutabile ordine di vita – immutabile proprio per loro volontà – nemmeno un accenno. Mia madre mi appare arrogante e scomposta: le sono ostile. La punisco disinteressandomi dell'avvenimento che preme da fuori, dalle finestre e ha mille scoppi nella notte. Del resto, non mi piace essere una figura laggiù nello sfondo: se ci volevano veramente far partecipare a tutto quel bere e gridare, potevano chiamarci e non raccattarci per caso.

E così, in quell'estate fremente ma incerta e sospesa, noi mettiamo in scena la nostra rappresentazione. Ci credono molto mature perché l'opera teatrale che abbiamo scelto è *Sogno di una notte di mezza estate* di Shakespeare. In verità siamo state un intero inverno a litigare sui copioni perché quasi tutti avevano un protagonista, due, massimo tre e gli altri erano ruoli da ridere, proprio senza importanza. Nessuno di noi voleva essere una camerierina o un passante impiccione.

Leggevamo *Le cognate litigiose*, scritto dal prete del quartiere, o *Come le foglie* di Giacosa. Per noi non c'erano testi classici o storie di parrocchia, c'era solo la frenetica ricerca di una parte per tutti. Ed ecco il «Sogno di una notte di mezza estate», magnifico, brulicante di personaggi, ognuno con un numero quasi uguale di battute e di apparizioni. Solo per questo abbiamo scelto quell'autore inglese, ma i genitori e gli amici non l'hanno mai capito bene.

Io sono Erminia, quella che viene presa in giro dalla rivale Elena per la sua bassa statura e ho una scena dove le mostro i pugni e la chiamo «pertica verniciata». È un successo. Un mio merito speciale, dicono, è che io sono Erminia con la faccia di Erminia anche quando non tocca a me dire la battuta. Gli altri se non è il loro turno guardano per aria, come si fa a scuola quando non siamo noi a essere interrogati. Lo spettacolo si fa su una grande terrazza, a casa di una delle attrici, di nome Simona. Simona non è ebrea: sua madre, un'austriaca antinazista, ci ha fatto un po' da regista. Suo padre è giornalista e si è portato i critici amici suoi. La tiepida carezza della gloria indulge su di noi, insieme alla vaga, esaltata e sconosciuta sensazione di essere in fondo come tutti gli altri.

Sentirci come gli altri, ma non è poi così importante. Il nostro gruppo è «misto», ma noi, le ebree, siamo di più. Siamo noi a dominare. La piazzetta è un'isola a sé e qui le leggi di Mussolini vivevano all'incontrario anche prima di quel luglio.

Un giorno avevamo avuto un litigio e la figlia di un fascista importante, con quell'odio che acceca, che ti fa vedere rosso, ci aveva urlato: «Tanto voi siete ebrei e mio padre vi farà arrestare tutti».

Si erano accese in noi mille scintille come su un filo elettrico scoperto e in una specie di buio avevamo cominciato a picchiare. Ci eravamo fermate sbigottite. Noi eravamo tante: non era giusto. A casa si erano un po' preoccupati, ma non stava succedendo niente. Per due o tre giorni eravamo state zitte, quasi immobili, poi tutto era tornato come prima. Ma la piazzetta era diventata rugosa e stanca. Siamo tornate a Villa Sciarra.

Villa Sciarra a settembre è nostra: c'è un'aria trasandata e sospesa, come se stessimo tutti accomiatandoci e non solo l'estate. Anche i pavoni si aggirano pesanti e svogliati, senza provare quel guizzo improvviso che gli fa fare la ruota: è come se sapessero che tra qualche mese finiranno arrostiti per placare la fame di qualcuno.

Non ci sono più guardie e si può pestare sui prati. Un pavone femmina ha lasciato un uovo. Riusciamo a prenderlo senza farci vedere dal custode: è grande come quelli di cioccolato per Pasqua. La sera a casa ne facciamo una frittata che basta per tutta la famiglia.

Siamo sempre in tanti. Oltre che da Trastevere, salgono verso il verde della zona del Portico i compagni di scuola. Abita al Portico

Jolanda, che ha ancora un fiocco grande sui capelli anche se ormai siamo in prima media.

In una radura a semicerchio gli architetti che a fine '800 hanno costruito la Villa hanno messo l'una accanto all'altra, alte e poppute, una serie di statue tutte porose di pietra grigia: sono i dodici mesi dell'anno.

«Facciamo un rito: ogni mese mettiamo delle corone e inventiamoci una cerimonia con fiori e genuflessioni al mese che comincia» propone qualcuno.

Recitiamo noi stesse, mimiamo una fanciullezza che non c'è più, fingiamo occhi luminosi e scoppi di entusiasmo, ma stiamo solo costruendo un film per la nostra memoria di un tremulo domani. Intrecciamo una corona di foglie, strappiamo i fiori che nessuno custodisce più e li componiamo in mazzi. Ci mettiamo in fila e recitiamo a turno: «Buongiorno settembre, io ti faccio omaggio».

Non ci divertiamo affatto, stiamo solo disegnando il nostro personaggio, ma già lo vezzeggiamo, lo troviamo bello, intelligente e soprattutto originale. Non siamo noi, siamo la materia gloriosa della nostra futura autobiografia.

Mentre Jolanda s'inchina compunta – lei è fra quelle che ci credono di più a questo finto gioco – il suo fioccone di bambina oscilla al vento come una farfalla di porpora. Jolanda omaggia settembre e assieme a noi prepara con nuove idee l'appuntamento per la prossima cerimonia, quella alla polputa statua di ottobre.

Nessuno si è presentato più all'incoronazione del mese di ottobre. Qualcuno ci ha gettati via, ci ha dispersi con un gesto largo come di seminatore. E quando, dopo tanto tempo, siamo ritornate e la tempesta era finita, Jolanda non è più venuta. Dal Portico era sparita verso pianure lontane con tutta la sua famiglia, abbandonando forse da qualche parte il suo fiocco di farfalla.

Settembre e le file. Siamo destinate alla mattina, per decisione materna, alle file del mercato per riuscire a portare a casa roba da mangiare: frutta, verdura, cipolle, qualsiasi cosa. In quelle file si sta fermi ore e tocca avere l'occhio attento e sospettoso, se no ti passano avanti.

Siamo io e mia sorella le più piccole fra donne corpulente e spettinate e le nostre borse enormi ci coprono tutte. Qualcuno non ci vede e avanza per conquistare quello spazio apparentemente vuoto, ma noi pigoliamo stizzose. Una volta una strega smisurata acchiappa mia sorella per il colletto come se fosse un gatto e urla: «Questa ragazzina non c'era, si è infilata!», e sollevandola la toglie dal mucchio. Resto senza fiato, non so rispondere, non sono Erminia che mostra i pugni, non sono la guerriera delle scorribande inventate, ma una bambina sbalordita che nella rabbia, confusione e lacrime ha dimenticato di tenere almeno il suo posto nella fila. Ora siamo tutte e due allo scoperto, ma altre donne vengono in nostro aiuto. Rientriamo nel caldo della fila, ma quando è il nostro turno non è rimasto quasi niente.

Già, il gioco è questo: ci si mette a un banco qualsiasi aspettando l'arrivo del camion dei mercati generali. Poi le cassette di frutta e verdura arrivano traballando sulle spalle dei facchini e approdano una volta in un banco, una volta nell'altro. Se sei nella fila giusta è come vedere arrivare la Befana, se no devi correre, correre più forte che puoi e aggiungerti alla coda del banco toccato dalla fortuna. Certo, se sei tra gli ultimi quasi sempre quando arrivi di fronte alla bilancia non c'è più frutta né verdura.

È finalmente un giorno splendente, meraviglioso: siamo ben sistemate nei primi posti della fila a una bancarella e a un tratto restiamo come sospese, non osiamo respirare perché le cassette tremolanti sulle spalle dei portatori stanno viaggiando, voltano, scansano, si insinuano, si dirigono... sì, stanno proprio arrivando qui dove siamo noi. È tutto davanti agli occhi, l'immagine stessa dell'abbondanza. Compriamo alla forsennata tutto quello che capita, melanzane, bietole, mele, carote, zucchine. Questa è la ricchezza, questo è come vincere alla lotteria. Ci riempiamo le borse. Siamo le prime, abbiamo vinto la staffetta. Andiamo a casa di corsa come impugnando la fiaccola, lasciandoci bastonare le gambe da tutta quella frutta e verdura che ballonzola nelle sacche.

«Mamma, guarda! Guarda!». Perché la mamma ci lancia un'occhiata distratta? Non ci ha capito? Non ci è stata a sentire? Fa di peggio: il suo vago gesto verso di noi è così assente e maldestro che tutta la nostra spesa cade per terra.

«Sono entrati i tedeschi a Roma» ci dice la mamma e non ci guarda più.

E intanto sul pavimento di casa rotolano lucide melanzane striate di viola, zucchine polverose, cipolle, melette grinzose. Rotolano tutte e restano per terra dove nessuno le raccoglie.

L'oro

Mamma torna a casa con il viso di quando ha la febbre. La segue la sua amica che è la direttrice della scuola ebraica e abita nell'altra scala del nostro stesso palazzo. «Vogliono l'oro!» grida come se stesse accusando tutti noi. «I tedeschi hanno chiesto agli ebrei cinquanta chili d'oro!». Mamma cammina svelta e ostile su e giù per la casa e l'amica le va dietro come se fosse una sua bizzarra ombra più larga e più bassa.

«Vedi» dice l'ombra parlando piano, «è perché a Roma gli ebrei non vogliono prenderli. Non li possono portare via sotto gli occhi del papa... questa dell'oro è proprio la prova».

Già, mi accorgo che parlano davanti a noi

questa volta, forse perché a settembre non hanno la scusa di mandarci a fare i compiti. «Dove lo prendono l'oro gli ebrei?» domando io tanto per saggiare se si sono accorti di me. «Ognuno deve portare quello che ha... C'è una raccolta...». Mamma mi risponde come se fossi una di loro.

«Abbiamo solo un giorno di tempo» e mamma sta già frugando nel cassetto, ma è così nervosa che tira fuori e torna a mettere dentro sempre gli stessi oggetti, anche la borsettina di tartaruga che non c'entra niente perché neanche la chiusura è d'oro.

Quando l'amica sparisce, mamma e papà confabulano per un bel po' davanti a quel cassetto aperto, poi il problema più importante sembra essere il pezzo di carta adatto per fare il pacchetto. Cosa ci mettono dentro non ce lo lasciano vedere. Sono sicura che c'è il braccialetto che le ha regalato la nonna: la mamma quando lo mette fa sempre la caricatura di una gran dama molto ricca che tende il braccio per il baciamano, ma non credo che in verità quella grossa fascia d'oro le piaccia.

La sera non riesco a dormire, eppure c'è un gran silenzio: sento che la casa mi preme addosso come la trapunta troppo grande che la nonna mi metteva sul letto quando dormivo da lei d'inverno.

Non è il famigliare silenzio di ogni notte quello che mi arriva all'orecchio, ma un parlottìo sommesso, troppo sommesso... Sì, sono mio padre e mia madre che confabulano, ma così piano che non si distingue nemmeno una sillaba. Quel vuoto di suoni, fatto di frammenti di parole, mi tira a sé. Mi alzo e vado verso di loro. Sono lì seduti sotto una luce debole e azzurrina, ma ora stanno rigidi e muti.

La voce di mamma, dopo quella grande pausa, è come se rimbombasse nella notte. «Tu ti fidi?». E papà dice no scuotendo la testa a lungo. E mamma: «Che facciamo?». Lui la guarda con viso aperto e perduto. Deve salvare la sua famiglia e non ne è capace.

Mio padre sa già tutto, ha compreso tutto, ma resta immobile. Non è più mio padre, ma l'eterno uomo ebreo che si ferma smarrito quando quello che da tanto si portava dietro, quello che la sua mente aveva disegnato in ogni più minuta piega, è lì, improvvisamente reale di fronte a lui. Non è capace di vivere la vita, ha già faticato tanto a conoscerla. Il suo cuore ha una stanchezza antica, ogni suo gesto ha il peso di mille anni, non sa battersi per sopravvivere perché quando suo padre, suo nonno, il suo bisnonno hanno lottato, hanno via via consumato anche le sue forze.

Le madri ebree no, sono tigri, leonesse, contendono alla vita ogni boccone, rubano ogni centimetro. Loro devono difendere i figli: per questo non hanno spazio per libri e sinagoghe.

Papà, tu che avevi capito tutto di Hitler, di Mussolini e dei geroglifici del nostro destino, perché sei lì, paralizzato? Perché anche dopo, a tratti, vieni a dire alla mamma «consegnamoci tutti», oppure divaghi in progetti nebbiosi tipo quello di andarcene a Fiuggi, un paese che abbiamo visto solo una volta andando a trovare la nonna che ci faceva le sue cure? Ecco, sei lì nella notte già quasi autunnale e l'unica cosa che è capace di fuggire è il tuo sguardo braccato.

Mamma si è messa in movimento. Per far cosa? Non lo sappiamo.

Il giorno dopo che l'oro è stato consegnato, i tedeschi si sono presentati in Comunità e hanno portato via tutti i documenti, i registri, i cassetti interi con tutto quello che c'era dentro, senza fare la fatica di guardare e scegliere.

Queste cose le sentiamo raccontare, ma se domandiamo «perché?», «cosa vuol dire?», «che se ne fanno i tedeschi di tutta quella carta?», ancora ci rispondono «niente, niente».

Più che altro non capisco perché il fatto che mia madre se ne stia tutto il giorno fuori casa abbia a che fare con quella storia dei tedeschi e dell'oro.

Poi finalmente è chiaro. C'è un'altra volta qualcosa per aria: ci vogliono parlare.

Mentre papà sta seduto scuro e muto, mamma ci dice che è vero che a Roma non c'è nessun pericolo per gli ebrei... Insomma, è il discorso che abbiamo già sentito... ma che per stare assolutamente più tranquilli, solo per vedere come andranno le cose, hanno pensato di allontanare noi bambine.

Allontanarci? Per andare dove? Beh, mamma ha trovato un grande convento, un educandato appena fuori città. Le suore conoscono da tanto tempo la direttrice della scuola ebraica e così sono d'accordo di prenderci da loro: andremo noi tre, più la figlia e la nipote dell'amica di mamma e forse qualcun'altra.

In collegio? Noi da sole come orfanelle? Ma se c'è pericolo, il pericolo non c'è anche per mamma e papà?

Dico tutte le battute, faccio l'intera recita, come tanto tempo fa quando mi parlavano e mi spiegavano perché avevamo perduto la scuola. So che se lo aspettano. Ma non serve a niente discutere, hanno già deciso tutto. L'idea di riuscire a convincerci con facilità li fa sentire però tranquilli e saggi. Mia sorella piccola piange e piange: lei senza la mamma non ci starà, ma viene solo consolata.

Siamo qui su un vecchio autobus che collega il nostro quartiere con la zona tra città e campagna dove è costruito il convento. Abbiamo una valigia per uno e la gente ci guarda di sbieco perché quello non è il percorso della stazione. C'è con noi anche Maria, che è sbucata dalla sua casa dall'odore di chiuso per venirci ad aiutare. Piove forte. L'autobus è ancora fermo al capolinea e Villa Sciarra è vicinissima. Ancora più vicina una trattoria con le frasche dove i genitori ci portavano qualche volta l'estate, ma siamo bambine: non sappiamo dire addio alle cose.

L'idea del collegio a tratti mi dà piccoli brividi di emozione: fra le educande sono ambientati tantissimi dei miei libri e film preferiti. Mentre l'autobus si stacca lentamente dalla fermata e procede sbuffac-

She thinks the boarding school will be good.
She has an idealised vision of it.
On the outskirts of Rome.
There is an orphanage next door but they don't meet.

chiando e traballando, una parte di me annaspa col fiato corto di chi annega – qualcuno ci vuole costringere a giocare a mosca cieca con la vita – ma un'altra pensosamente ragiona su come sarà la divisa da collegiale di questo convento.

Il collegio è un grande edificio quadrato con un cortile e portico all'interno. Al di là delle colonne un giardino con alberi grandi che scende verso la campagna. Sapremo dopo che all'estremo orlo fra giardino e campi c'è anche un orfanotrofio, ma le orfanelle non le incontreremo mai.

Le suore sono gentili, sorridono e camminando svelte svelte lasciano ondeggiare le loro cuffie come ali di gabbiano: forse lo fanno apposta. Le scuole non sono ancora cominciate, dicono, e quindi ci sono ancora poche bambine, ma arriveranno... Ci fanno vedere le camerate, il refettorio, le aule della scuola e dei compiti e al piano terra piccole stanze con il pianoforte per le lezioni individuali di musica. «Mamma, posso anch'io?» chiedo a mamma e lei dice subito di sì. Poi parla un po' da sola con la suora.

«Ecco» dice dopo, «siamo d'accordo con la sorella che in chiesa voi non ci andate, va bene? Però quando siete a tavola con le altre il segno della croce lo dovete fare. A nessuno, a nessuno direte mai che siete ebree, avete capito?». E guarda fissa mia sorella piccola tutta imbambolata.

Mamma è sempre la stessa nel voler guidare le nostre vite. Ma quando qualche compagna ci domanderà perché non andiamo in chiesa, cosa risponderemo?

C'è l'amica di mamma che ha portato in quel collegio la figlia e la nipote, ma anche lei lascia parlare mia madre. Le altre bambine e le mie sorelle mi guardano di sfuggita: sono la più grande e sperano che sia io quella che si assumerà la fatica di capire. Ma sì, dico, è tutto chiaro. Ma in verità non lo è affatto.

Stiamo per portare le nostre valigie in camera quando la suora si ferma. «Salutate prima la mamma». Ci blocchiamo immobili a metà gesto come nella favola della bella addormentata. «Mamma, dove vai? Perché ci lasci?». Nessuno lo dice, ma è tutto l'universo, ogni albero, ogni pezzo umido di terra, ogni mattone o gatto che lo stanno urlando a gran voce: «Dove vai, dove vai...».

Siamo state tutte e tre educate alla disciplina e ci avviamo come soldati, lente e pesanti con i nostri fagotti.

Siamo a letto. Neanche il buio viene a fasciarci perché un lumiciattolo ai piedi della Madonna regala agli oggetti chiarori bizzarri. Lassù il soffitto è altissimo, la parete in fondo non si vede neppure, forse non c'è. Anche il silenzio non è il nostro silenzio di casa e il nero non è quel nero ammiccante e sornione disegnato dalla sciabola di luce che da una stanza lontana s'infilava sotto la porta. Ora non ci sono stanze lontane.

Cosa stiamo facendo qui? Ci hanno messo su delle ceste leggere che il vento del mare ha spinto verso una riva. Abbiamo toccato terra, ma quella non è la nostra terra. Siamo cinque bambine ebree che dormono in rigidi lettini di ferro composti in una fila interminabile sotto una volta alta, troppo distante...

Un giorno d'ottobre

Sono arrivate le altre collegiali. Non molte: c'è la guerra vicina e mestamente i genitori si tengono le figlie a casa.

«Perché ti fai il segno della croce all'incontrario?» mi chiede una bambina – treccie irsute e occhialoni spessi – inchiodandomi sotto al suo sguardo. «Io? All'incontrario?», quella certo non vede bene, ma mi muovo a disagio... chissà se forse una volta...

Un giorno cercano una compagna. «È a messa» dico d'impulso. È pomeriggio, mentre la messa, lo sanno tutti, è quella del mattino. Questa volta ho sbagliato di sicuro e le ragazze ridacchiano fra di loro.

Del resto non andiamo mai in chiesa alla funzione e nessuno ci domanda il perché. Ci sono ora altre bambine ebree, sono arrivate alla spicciolata. Hanno sguardi perplessi e corrucciati e ci scrutano: noi che siamo già lì rappresentiamo l'altra parte, proprio come la campanella che suona per la chiesa e la statua della Madonna col lumino nell'angolo del corridoio.

La scuola è cominciata e nelle classi abbiamo trovato le esterne. Il mormorato segreto su «chi siamo» prende anche la via del loro quotidiano percorso da scuola a casa.

Mia sorella piccola – è quella l'età – viene portata in prima elementare e urla, scalcia, si divincola, diventa rossa di pianto: se crescere significa quella camerata fonda e buia dove nessuno ti dice «buonanotte», meglio dire di no. La riportano all'asilo e tutto si placa.

Le lezioni a scuola danno il ritmo alle nostre mattinate, ma nemmeno il pomeriggio è nostro. Per i compiti siamo di nuovo in un'aula con i banchi tali e quali a quelli della scuola. Scrivo svelta svelta, sottolineo il libro di storia, ho più o meno finito, ma dopo niente corse sudate nella piazzetta vicino casa. Qui non si vola con i calzerotti di cotone senza scarpe per correre meglio, qui si sta fermi fino alla campanella serale. Le ore si allungano lente e stiracchiate.

Una del nostro gruppo si è fatta portare degli acquarelli e colora un album. Bagna il pennello nell'acqua e poi intenta lo fa crogiolare in tinte cremose e intense, rubino, verde, il blu dei pavoni di Villa Sciarra. La fissiamo abbacinate: dopo pochi giorni ognuna delle madri che alla domenica ci viene a trovare ha per noi la scatola di latta con pennelli, colori e vaschette.

Non so disegnare, ma tuffarsi nei colori densi e caldi è come sguazzare in un piacere indefinito, quasi fisico.

Della tanto attesa divisa da collegiale non si parla nemmeno. C'è la guerra e ognuno si veste come vuole, con più stracci possibile addosso, perché è già chiaro che non ci sarà riscaldamento. Scelgo di portare per tutto il giorno il grembiule nero col colletto di pizzo bianco che metto per la scuola. Nessuno me lo ha chiesto, ma nessuno ci fa caso: a chi importa come mi vesto io! La suora che accompagna ogni giorno le esterne a casa mi prende con sé. Esco, vedo le strade, le donne che fanno la spesa, i grappoli di gente che spenzola attaccata ai tram, sbircio la vita che continua a girare anche senza di noi. Così, con la suora accanto e con il mio grembiule nero, recito l'orfanella e spero che mi guardino.

Non si gioca più. Cerco di organizzare una delle vecchie e sconvolgenti partite di «rubabandiera», con le due squadre che si guatano, pronte a rubarsi a vicenda il fazzoletto. C'è il giardino e ci sono tante ragazze per l'ora della ricreazione, ma nessuna mi segue. Mi guardano apatiche e canzonatorie. Se una volta riesco a trascinarle nel gioco, sono atone, non corrono, si lasciano portare via lo straccetto colorato e ridacchiano. Si trascinano dondolando e si mettono all'improvviso a parlottare, lasciando la gara a metà. Preferiscono passeggiare, scambiandosi pettegoli e insignificanti segreti. Si formano dei gruppi che ondeggiano, alternando continuamente come in una quadriglia reciproche simpatie e ostilità. Io sono fuori, non so bene perché. Forse c'è ancora troppa «Villa Sciarra» dentro di me. A volte provo a spezzare il cerchio, tento d'infilarmi in un gruppo, penso per giorni, accanitamente, a qualche argomento di conversazione, ma non ho proprio capito di che cosa bisogna parlare.

Una mattina, mentre sono in classe, una compagna mi sibila «guarda che c'è tua madre giù in parlatorio». Mia madre? Perché non mi hanno chiamata? Chiedo alla suora di scendere... insomma, lo so che è un'ora un po' strana, ma c'è giù mia madre, mia madre, lo capisce? «Dopo, scenderai più tardi, quando saranno finite le lezioni» dice freddamente la suora insegnante. Ma come «dopo», mia madre c'è *ora*! «Ci sarà anche dopo». La suora mi sembra ancora più fredda perché invece di guardarmi appare attenta alla pioggia che picchia alla finestra. Mi muovo inquieta nel banco e quando suona la campanella scendo a precipizio lasciando tutti i libri in classe.

«Mamma» urlo spalancando la porta, «perché non mi hai fatto chiamare, non mi hai detto che eri qui?». «Non c'è fretta» mormora mia madre, «credo che resterò per un po'... vero?» e guarda la suora superiora che è lì con lei e allarga le braccia in un gesto che potrebbe voler dire «sì» oppure «chissà... non dipende da me».

C'è anche l'amica di mia madre, la direttrice della scuola ebraica, in principio neanche me n'ero accorta. Comunque neanche lei ha fatto avvertire sua figlia. Mamma è grigia e quasi non mi guarda. Oggi nessuno ti guarda, ma cosa è successo oggi?

Finalmente mia madre si mette d'improvviso a parlare. «I tedeschi... Hanno cominciato a portare via gli ebrei... siamo scappati... siamo riusciti a scappare... ci hanno avvertiti per telefono la mattina presto. Una voce ha detto "ci siamo, andatevene subito" e ha buttato giù. Abbiamo fatto a tempo so-

They don't know where the father is, its tricky enough having the mother there

lo perché a Monteverde forse sono venuti più tardi, nel Ghetto li hanno presi tutti...» e per la prima volta vedo mia madre piangere.

È come quella volta quando hanno processato mia zia, tutto ondeggia paurosamente intorno a me in bizzarri contorni... Ma come, mamma, tu mi avevi detto che a Roma c'è il papa e che per questo noi potevamo stare tutti tranquilli, che a Roma dopo l'oro niente di male sarebbe successo per gli ebrei... Allora... allora voi non sapevate niente, non potevate niente... allora non era vero, voi non eravate l'angelo del Signore che ci protegge con la sua spada di fuoco, nelle vostre mani non c'era niente, solo qualche speranzosa misera bugia...

Non riesco a emergere perché nessun braccio di adulto, né ora né mai più potrà aiutarmi a farlo.

C'è una immagine dentro di me: mio padre e mia madre che confabulavano piano una sera di settembre sotto una luce azzurrina e decidevano, come se ne avessero la possibilità, della nostra vita. È una immagine che va e torna ossessivamente, poi, in una luce improvvisa, capisco il perché... «Papà, dov'è papà?» grido. «Non lo so» dice la mamma, «ci siamo divisi. Io ho provato qui... forse mi prendono nell'ala dei pensionanti... per lui era impossibile... sta cercando da qualche altra parte».

Ecco, è come mi sembrava, sto vivendo un faticoso incubo, non c'è niente di reale... è tutto inverosimile. Sì, perché mio padre e mia madre non si sono mai separati; persino quando è scoppiata la guerra noi bambine ci siamo trovate sole con la tata perché loro erano partiti, ma tutti e due insieme, per andare a cercare un posto di vacanze. E poi i padri sono fatti apposta per restare con i loro figli... I miei pensieri sono tornati elementari e balbettanti come se avessi cinque anni. I padri sono quelli che ti fanno il ritratto... che ti accompagnano a scuola in ritardo... Lo so che a volte muoiono e ci sono gli orfani, ma i padri non scompaiono così, che uno non sa nemmeno dove siano.

«Mamma, dov'è papà?» le chiedo tentando di riaffiorare. E mia madre che me lo ha appena detto sbarra gli occhi e piomba a sedere di schianto.

Poi è come il toc toc sui vetri di una pioggia leggera e persistente. Arrivano altre bambine ebree: sono tante, hanno sorelle e cugine, hanno volti noti. Qualcuna la conosco proprio bene, qualcun'altra meno, ma sono loro, lo so, è tutto il mare di facce della scuola ebraica. Ormai è come essere nel salone della «Polacco» prima dell'inizio delle lezioni, quando eravamo pigiati tutti insieme in quell'enorme stanza e poi, quando suonavano la marcetta al pianoforte, tutte le classi pestando i piedi a ritmo si avviavano verso la loro aula.

Ora le bambine sono smarrite, ridono nervosamente e le sorelle piccole piangono proprio come la mia. Anche loro, come quelle che erano arrivate prima, mi scrutano incerte e sospettose. Io ho quell'aria involontariamente beffarda di chi si è già inserito: non me ne accorgo, ma ostento baldanzosa la mia sicurezza e la mia famigliarità con persone e cose. Travasano su di me la loro ostilità per quell'ambiente estraneo in cui le hanno fatte piombare.

Il quinto giorno, guarda chi arriva: la ragazzina che tutta la scuola conosceva per certi suoi capelli tenuti a boccoli lunghi e di un sospetto color oro. Adesso è castana scura e arruffata. «Non eri bionda tu?» le domando con aria ingenua ma a voce alta di fronte alla suora. «Li tingevo» mormora e la suora dice subito «vergogna». Quella ragazzina di nome Fiamma alla scuola ebraica era odiata da tutti perché per via di quei capelli camminava tutta sussiegosa e piena di arie. Ora è una bruttina angosciata che si affanna senza riuscirci a tenere buona la sorella più piccola che urla a squarciagola. Ho già una esperienza simile con la mia di sorella. Provo ad aiutarla e ci riesco. Con Fiamma e la sorella Fioretta diventiamo amiche.

Ci hanno messe tutte nella stessa camerata. Prima eravamo meno di dieci e ora siamo più di trenta. Tra le ebree ci sono anche due o tre ragazze più grandi, delle superiori, ma per loro è diverso. Le «grandi» del collegio sono così poche che meritano il miscuglio delle religioni. Così le ragazze delle superiori stanno tutte insieme in un dormitorio lontano. Sappiamo che di nascosto fumano e fanno il verso alle monache. Noi no.

Abbiamo due suore, Suor Adriana e Suor Maria Concetta, tutte nostre, oltre a quelle che troviamo sulla cattedra di scuola a farci da insegnanti, e siamo sempre in frenetica gara per catturare la loro benevolenza o addirittura un elogio. È vero che a fine settimana si va tutte in salone e la madre superiora mette una fascia a tracolla a quelle che si sono comportate meglio, rosa per la condotta e celeste per il profitto a scuola, ma non è solo per quei nastri di raso il nostro zelo. Noi che siamo state tutte, chi più e chi meno, scolare e figlie ombrose e recalcitranti, diventiamo arrendevoli e mansuete di fronte a quegli arcigni surrogati di madre dal vestito nero. Forse perché qui si parla sempre di santità, si leggono ad alta voce vite di beati, ci sono ore di preghiere che rimbalzano nei corridoi, cupe ma rassicuranti nella loro monotonia, e noi siamo fuori a occhi spalancati e il naso schiacciato contro la vetrina, come davanti a un irraggiungibile negozio di giocattoli.

Anche le suore stanno con occhi spalancati su di noi. Non è che disapprovino quel nostro essere escluse da santità e orazioni: sentono solo un'infinita meraviglia.

Un giorno il malessere che si muove dentro di me si placa in un'idea: anche noi abbiamo delle preghiere. Parlo concitata con le altre bambine della camerata, chiedo titubante il permesso a Suor Adriana. È d'accordo, anzi sembra sollevata e curiosa.

Ed ecco che la sera in quella enorme camerata semibuia, mentre Gesù sulla croce attaccata alla parete in fondo pare anche lui rassegnato e complice, si sente prima incerto e poi sempre più forte, sempre più sicuro, il coro delle preghiere che ci facevano dire da piccole prima di addormentarci, che ci facevano recitare tutti insieme nel salone della scuola ebraica, la nostra preghiera: «Shemà Israel, Adonai Eloenu, Adonai Ehad...».

«Ascolta Israele, il Signore è il nostro Dio, il Signore è uno»... la preghiera ebraica vecchia di duemila anni trema nella notte come una fiammella e volteggia ai piedi della Madonna di terracotta...

Inverno con le suore

Papà è venuto a trovarci. Ora abita in una pensione a Piazza Fiume e con lui c'è altra gente che si nasconde. Ci ha chiesto subito della scuola, di altro con noi non sa molto parlare. Hanno deciso, s'incontreranno con mamma qualche volta a metà strada, perché arrivare fino al collegio è stato davvero troppo lungo e pericoloso. Non si sa perché non può stare qui nello stesso reparto della mamma: non ci sono solo donne in quell'ala del convento, ma anche un bel po' di uomini, forse ufficiali scappati o gente del sud che non ce l'ha fatta a tornare a casa in tempo. Almeno così dicono.

Ebrei però nessuno. C'è solo qualche signora come mia madre, magari con un bambino che, se è maschio, non può certo essere messo con le collegiali. Fra loro anche un mio compagno di scuola dei tempi della «Polacco»: me lo ritrovo in classe sotto la mia stessa insegnante, Suor Maria Speranza. Era un ragazzino grasso che tutti prendevano in giro al momento del salto in alto nell'ora di ginnastica. Ora è magro e affamato, ma quella goffa immagine di prima, come se gli si specchiasse ancora dentro, gli ha lasciato addosso un'angosciante incertezza.

È fra le pensionanti anche una lontana cugina di mio padre: ha una figlia di nome Laura che dorme nella nostra camerata. Proprio lei è stata per anni, anche se quasi non c'incontravamo, la stella fissa, la pietra di paragone di tutte le nostre insufficienze famigliari. Laura, ci raccontavano, la mattina prima di andare a scuola si rifaceva il letto e metteva in ordine la stanza, là dove noi non riuscivamo nemmeno a scansare le scarpe buttate in mezzo al pavimento.

Laura ha un anno più di me e per tutta la vita ho dovuto seguire i suoi passi raccattandone vestiti, scarpe e libri scolastici che avevano sempre il numero di pagine diverso da quello degli altri bambini, quei miei compagni tutti tronfi all'inizio dell'anno con i bei volumi bianchi e nuovi, fragranti dell'odore della cartoleria. Ora Laura non è più un modello lontano, è una ragazzina come noi e sono sicura che finalmente potrò far galleggiare la mia ostilità. Ma non c'è incontro. Lei è diversa: la sua serietà l'ammanta e la separa. A noi non parla quasi mai, ma non è per disprezzo. È come se non ci vedesse attraverso quei suoi piccoli occhi indifesi e gentili. Le nostre stesse sorveglianti le rivolgono la parola quasi con soggezione, pronunciando scandito come si fa con gli stranieri.

Quando finisce i compiti Laura lo dice sottovoce alla suora che le fa subito un cenno con la testa. Laura scivola via e va a raggiungere sua madre dalla parte dei pensionanti. Non ricompare fino a sera.

E noi? Perché noi non possiamo raggiungere le nostre di madri? Nemmeno a pensarci, ma è proprio la mamma che non vuole. «Non è bello di fronte alle altre collegiali» ci dice minacciosa, «dovete fare la loro stessa vita».

In verità lei sta tutto il giorno con quella suora infermiera dallo sguardo aguzzo a sentire Radio Londra. Ci è permesso di raggiungerla solo all'ora della merenda. Mia madre riesce a comprare da un contadino un uovo al giorno, lo sbatte a lungo con un po' di zucchero e lo divide fra noi tre, un cucchiaino per uno. Siamo affamate e poi quella è l'ora del nido. A tavola le suore ci danno orribili patate tedesche congelate e malgrado tutto non riusciamo a ingoiarle: mia cugina Laura, sempre con quell'aria seria e lontana, mangia tutte le nostre porzioni.

Sono arrivati i tedeschi, ma non proprio qui da noi: si sono messi ad abitare in una villa vicino al collegio. C'è una siepe bassa che separa i due giardini e ognuno può vedere l'altro. Cominciamo a mormorare, ma siamo più deluse che impaurite. Sono questi uomini belli, allegri e tutti stirati, quelli che ci hanno fatto cambiare vita? Forse i grandi si sono sbagliati ancora una volta.

Uno, biondo, con la divisa, salta la siepe con un balzo tranquillo e leggero. È in mezzo a noi. Ci saluta con la mano, scherza con le collegiali più piccole, prende in braccio mia sorella e le regala delle caramelle. Lo guardo con gli occhi sbarrati. Vorrei provare, vorrei provare a gridare: «Quella bambina è ebrea», sento per questo in me una specie di esaltazione aggressiva, ma in realtà so benissimo che sto inseguendo la scena di uno dei melodrammi che tanto amo.

Qui non succede niente. Provo a guardare dalla parte di mia madre e delle sue amiche: sono tese e nervose, ma vedo benissimo che non hanno una vera paura. Hanno messo il comando in quella villa, dice in fretta mamma, figuriamoci, era la villa di una famiglia ebrea. Comunque questi sono altri tedeschi, pensano alla guerra, non a portare via gli ebrei.

Ma un giorno invece di scavalcare la siepe con il solito salto spavaldo, arrivano dritti dritti in tre e chiedono di parlare con la madre superiora. Tutto il convento si ferma, siamo immobili come se all'improvviso e contemporaneamente si fosse bloccato un unico respiro, come se avessero tolto la corrente alle macchine di un'officina e là dove c'era rumore e movimento, di colpo restasse solo un silenzio spento. La mamma non mi vuole guardare, io per dispetto cerco di dire qualche frase scherzosa alla ragazzina accanto che neanche mi ascolta.

Quanto restano chiusi là dentro con la Madre? Forse non molto e quando escono la vecchia suora li saluta tutta sorridente e poi chiude la porta. Non le piace che tutti le si affollino attorno. Ma corre subito da noi la suora infermiera, quella degli occhiali grossi. «Devono fare una festa» dice con le mani che le saltellano come al solito, «ci hanno chiesto un pianoforte in prestito...».

Già, la festa... Ma non è solo questione di pianoforte. I tedeschi hanno fatto amicizia, come non si sa, con due di quelle ragazze grandi dei dormitori superiori, quelle che fumano di nascosto e fanno il verso alle monache. Sono due sorelle di nome Caterina e Margherita, una è bionda con la treccia che gira intorno alla testa, l'altra è bruna, svirgolata da una frangetta. La loro casa è nel sud e così con la guerra sono rimaste tagliate fuori dalla famiglia. Devono restare in convento per forza, sono belle e arroganti, ma le suore le trattano con molta circospezione. Ora, è questa la novità, i tedeschi oltre al pianoforte le vogliono come invitate a quella loro festa e alle altre che faranno. Conosco così bene i discorsi pudichi e la morale delle suore che già mi diverto al solo immaginare la loro risposta.

Arriva di corsa – già qui ci si annoia così tanto che quando c'è qualcosa da dire non si può fare a meno di correre – una del nostro gruppo. «La Madre ha detto sì...». «Sì di cosa?». Non capisco. «Caterina e Margherita possono andare alla festa...».

Il giorno dopo dei soldati tedeschi vengono a scaricare tanti sacchi di roba da mangiare che ci hanno mandato in regalo i nostri vicini di casa.

Mamma si è incontrata con papà a Monte Savello, ma quando torna è più scura di prima. Come al solito non ci racconta niente, ma ora almeno quando parla con le sue amiche si dimentica di mandarci via. Non vuole ancora lasciarci guardare diritto questo orribile mondo, ma stancamente ce lo fa sbriciare da un angolo. Non intendo darle soddisfazione e mentre ascolto fingo di guardare da un'altra parte, assorta a seguire i giochi delle bambine piccole o la ginnastica di un gatto.

Pare che la pensione di papà non sia una vera pensione, ma un posto dove della gente si riunisce di nascosto per giocare a soldi. Siccome c'è il coprifuoco, nessuno se ne può andare a casa e così le partite a carte durano tutta la notte. E dunque anche mio papà deve far finta di essere lì per giocare e non perché non ha nessun altro posto per andare a dormire. Io me lo ricordo benissimo che mio padre si vantava sempre di essere molto bravo a questo poker, ma tutta la vita noi lo avevamo visto perdere. «Perché sono troppo bravo» diceva papà, «gli altri non ragionano».

Anche questi di ora certo non ragionano, dato che papà perde ancora di più e con questo modo che ha di passare la serata tutti i nostri soldi stanno finendo. Ha provato papà a cercarsi un altro alloggio, ma nessuno lo vuole. C'era una casa vuota in un quartiere molto lontano, ma i tedeschi hanno proibito i traslochi e papà mica può dormire per terra, senza letto né niente. Insomma, ora ci mancano i soldi, anche perché le suore del convento dove è nascosta mia nonna, la mamma di papà, stavano per cacciarla via perché lei non ha più la tessera per comprare le cose da mangiare. È andato papà e ha dovuto promettere di raddoppiare i pagamenti. Da noi invece le suore sono state buonissime e hanno detto «pazienza» per la faccenda delle tessere. Si mangerà male, dicono, ma si mangerà tutti, con i bollini o senza i bollini.

Il fatto è che noi non abbiamo potuto rispondere al censimento, dato che eravamo nascosti e quindi è come se non esistessimo più. E alle persone che non esistono più, la tessera per mangiare non serve e nessuno gliela consegna.

Come siamo tristi in quei giorni senza più nome, né viso, né tessera. Era meglio quando ci mandavano in un'altra stanza e non ascoltavamo niente. Ora sappiamo che la mamma andrà a vendere l'anello della zia. Era così bello e amichevole, ci strizzava l'occhio tenero e scherzoso come faceva la zia. Basta, ora non c'è più. La nonna potrà pagare il suo convento e papà continuerà a giocare a carte anche quando avrà voglia di dormire.

Un giorno arriva di corsa Maria, quella Maria dell'infanzia che ora vive nella nostra casa con il suo fidanzato Tarcisio. Qualcuno dall'anagrafe, facendo finta di niente, ha mandato al nostro indirizzo le famose tessere. Qualcuno ha guardato oltre il nero e ci ha visti: esistiamo.

È arrivata una bimba piccolissima: ha appena compiuto tre anni e si chiama Rossana.

Le suore l'hanno presa, ma non c'è posto per la mamma nel pensionato per adulti. La madre giovane ha un viso paffuto che sembra rincorrere l'infanzia della figlia. Scivola via rassegnata e silenziosa come se stesse ancora giocando a nascondino e la bimba piange e piange. Non ho mai sentito piangere così e per tanto tempo.

Le suore cercano goffamente di consolare questa Rossana minuscola e ricciuta, facendole balenare caramelle e tintinnare a mo' di sonaglio corone di rosario, ma lei ferma su di loro solo per un attimo il suo sguardo lacrimoso. È il nostro momento: la soffochiamo di giochi e di abbracci. Piano piano Rossana torna a diventare quella che era nella sua casa vicino al Portico, un guizzo della natura cresciuta senza nessun «no».

Il suo regno è infinito perché la pigra e forsennata indulgenza di tante generazioni di genitori ebrei non gli ha mai dato confini. Corre, fugge, non obbedisce, si infila con sfida nei pericoli, guarda gli adulti con trionfante irriverenza, grida le sue ragioni come se dovesse vantare della merce da un lato all'altro del mercato. Le suore la guardano attonite: non hanno mai conosciuto una figlia del ghetto. Le affibbiano un soprannome che occhieggia le virtù del pepe: «Spepetto». E «Spepetto» Rossana diventerà per tutti.

Noi siamo ora i suoi genitori e come loro corriamo dietro al suo dito piccolo che chiede e ordina.

Ma una sera nella camerata, quello che sento non è il pianto dei suoi bizzarri capricci, è quel pianto sommesso e disperato che gli adulti soffocano nel cuscino. Mi avvicino scalza: Rossana, forse mezzo addormentata, in tutte quelle lacrime sta cercando sua madre. So che è proibito, ma senza far rumore la prendo e la porto con me. L'abbraccio, l'accarezzo, me la faccio addormentare nella calda nicchia di un letto abitato. È quando il suo respiro torna a essere lento e placato che guardandola e sentendola mi esplode dentro qualcosa che affonda nell'origine e che dalla carne passa direttamente alla carne. È la lupa che ha sotto di sé i gemelli abbandonati. Sarò pronta a sbranare con le mie mani chi oserà toccare questa bambina. È la mia prima figlia.

Mi hanno cambiato nome e naturalmente cognome. Le mie sorelle forse non sono più le mie sorelle, dato che il loro cognome è diverso. C'è stato, prima, un momento in cui tutti erano preoccupati, l'ho capito perché mia madre ancora una volta non si curava che io ascoltassi i loro discorsi. Sembra che il Vaticano abbia avvertito che forse i tedeschi entreranno nel convento a cercare la gente come noi e gli altri che si nascondono. Gli uomini, quelli che vivevano dalla parte dei pensionanti, se ne sono andati tutti. Meno male che papà è già per conto suo a giocare a carte tutte le sere. A mia madre e alle altre donne le suore hanno dato un vestito da conversa che sarebbe la divisa delle suore nuove, quelle che ancora non hanno fatto l'esame per entrare nel convento. Mamma ha quel vestito grigio scuro pronto sulla sedia e se sente suonare uno speciale campanello deve subito buttarselo addosso e andare giù in fondo all'orto a lavorare con le suore operaie. Aspettando questo momento non deve più mettersi il rossetto perché anche a lavarlo in fretta e furia qualcosa poi si vede e non deve aggiustarsi le sopracciglia con le pinzette.

Come era spaventata mamma i primi giorni, ma ora con questa storia del travestimento sembra quasi che si diverta: ogni tanto guarda quella divisa lunga e ruvida come una bambina che si prepara per la recita scolastica.

Per noi le suore hanno avuto un'idea. Molte collegiali l'estate erano andate a casa per le vacanze scolastiche, ma dato che abitavano al sud, sono rimaste bloccate là dalla guerra. Qui nel convento sono restate molte delle loro cose, qualche vestito negli armadietti di ferro, libri e quaderni e quello che è più importante tutti i loro documenti. È così semplice, basta scegliere l'età giusta e noi diventiamo loro.

A me capita «Maria Cristina Cataldi». Non Elena o Lucia, ma Maria Cristina: è il massimo. Con un nome così c'è da scontare a vita anni di complesso ebraico. Sempre con quel nome – Maria Cristina Cataldi – è firmato a grandi lettere maiuscole nel verso dello spessore un monumentale e nuovissimo vocabolario latino che vedo sempre immobile nella classe dei compiti. È diventato mio? Perché io, come al solito, finora mi sono dovuta arrangiare con un vocabolario vecchiotto e un po' squinternato ereditato da mia cugina. Dentro di me so benissimo che il volume di Maria Cristina, quella vera, non mi appartiene affatto, ma me ne impadronisco lo stesso, decisa a fingere ingenua confusione nel caso le suore dicessero qualcosa. Non se ne accorgono.

Con le altre bambine è più facile: le «ariane» sono abituate a mormorare in privato e ad accettare all'esterno, ironiche e sornione, tutto quello che viene da noi. Va bene, questo è il nostro nuovo cognome. Le ebree sono nel gioco, quello è il mio nome e quello è il mio vocabolario.

Non posso dialogare con la sconosciuta Maria Cristina attraverso il suo dizionario di scuola: è così nuovo e scrocchiante, con le pagine ancora fittamente attaccate l'una all'altra, si capisce che lei non lo ha mai aperto.

Ora però questi nuovi nomi dobbiamo imparare a dirli bene, senza dimenticare la città dove dobbiamo fare finta di essere nate. Specie per le più piccole è tutta una baraonda. Ci esercitiamo per ore nei corridoi come se stessimo provando uno dei nostri spettacoli di teatro. Il più difficile è riuscire a girarsi subito quando qualcuno ti chiama all'improvviso da lontano con il tuo nome finto. Diventiamo bravissime, si sa, nel gioco siamo allenate a vincere.

Resta il problema di Rossana. Nessuna bambina così piccola è stata mai in convento e tanto meno ha lasciato i suoi documenti. Le suore ci pensano molto e poi decidono: diranno che l'hanno trovata sotto le macerie di una casa bombardata e che l'hanno raccolta senza sapere assolutamente chi è. Ci mettiamo tutte a parlare a Rossana. «Ti hanno trovata sotto le macerie, hai capito?». Lei ha capito benissimo. A chi le domanda come si chiama, grida trionfante: «Spepetto sottomacerie». «Sottomacerie» è il suo nuovo cognome.

Qui passano i giorni e continua a non succedere niente. È come se stessimo ciondolando in una festa pronta per invitati che non arrivano. Il gioco di gridarci i nomi nuovi non ci attrae più, ne abbiamo inventati altri, mamma qualche volta si rimette il rossetto, gli uomini bussano al portone: «Possiamo rientrare?».

La madre superiora chiede e al Vaticano dicono che per ora il pericolo è più lontano. Tutto può tornare come prima.

È venuto l'inverno e niente è così ghiacciato come i grandi stanzoni ghiacciati del convento. Ma se non si riesce a trovare abbastanza da mangiare, figuriamoci se si può pensare a riscaldarsi. Ci mettiamo addosso uno sopra l'altro tutti i vestiti che abbiamo, ma le mani, le mani si spaccano nei geloni.

Dopo cena, nei corridoi dalle luci fioche, le suore per farci muovere un po' mettono su dei girotondi facendoci ritmare assurde strofette che riescono a liquidare in una sola spazzata senso logico e grammatica italiana. «O palazzo, palazzo vergine / che gli angeli ci sono / se... (*nome di una di noi*) si rivoltasse / un bell'angelo la baciasse». La «chiamata» si rivolta e si seguita così fino a che tutte le facce guardano fuori.

Ora che la stagione ci ha cacciato dai cortili e dal giardino, più ancora che il freddo è di nuovo la noia a definirci. Ciondolo intirizzita e smorta.

La noia. Ma non posso accettare di attribuirmi una sensazione così poco nobile. La travesto da malinconia e fingo atteggiamenti assorti e nostalgici, con lo sguardo sempre rivolto dalla parte dove, a occhio, si dovrebbe trovare la nostra casa. Mi succede che a forza di rappresentarmi con l'immagine della bambina che piange sulla sua casa perduta, finisco per pensarci e sognare su di lei davvero. Ora non so più se il punto di partenza è stato sincero o recitato con me stessa.

Intanto si avvicina il Natale e tutto il convento è scosso da brividi di attesa: basta pensarci un po' e verranno fuori festeggiamenti straordinari. Piano piano i progetti prendono forma. Ci sarà un enorme presepe animato sul tipo dei quadri viventi. Ogni bambina sarà travestita, chi da pastore con i baffi, chi da contadinella con la gonna danzante, e poi re magi, artigiani e via dicendo. Si contano i personaggi e appare chiaro che il presepe sarà popolato tutto dalle ebree perché le altre poche collegiali, almeno per le feste, tornano a casa.

Vengono sospinti giù da misteriose soffitte cestoni di vimini e ne escono costumi colorati rifiniti da lustrini ammiccanti e sontuose bordure. C'è da restare senza fiato per chi come noi ha dovuto sempre adattare delle vecchie vestaglie di casa.

Le parti sono distribuite, ma c'è forte una curiosità: chi farà la Madonna e potrà drappeggiarsi addosso quel meraviglioso manto azzurro tutto percorso da stelle d'oro? Lo chiediamo alle suore e la risposta è «la più buona». Ci impegniamo in furiose gare di virtù e quasi non respiriamo per non dare occasione a qualche tipo di rimprovero. Che diamine, quello della Madonna è il ruolo principale e ognuna lo vuole per sé.

In questa sospensione provo incerta la parte che nel frattempo mi hanno data, quella di una pastorella con la gonna rossa che deve recitare una lunga strofa. Ma l'altro personaggio, quello che tutte noi inseguiamo, non ha forse bisogno di prove? Arriviamo sempre più perplesse al giorno dello spettacolo e ancora non ci hanno dato una risposta: ognuna di noi è stata buonissima, ma nessuna è stata chiamata. Che presepe sarà senza una Madonna?

La vediamo solo al momento in cui di fronte a un grande pubblico si accendono le luci di scena: lei con la treccia bionda ora sciolta sulle spalle, un mare d'oro sul celeste del mantello, Caterina, la ragazza che va a ballare con i tedeschi, è lì che guarda, compunta e bellissima, il Gesù bambino di coccio trasferito con cautela dalla chiesa al palcoscenico. Attorno tutto un esercito di ebree intente e volenterose canta «Alleluia».

La grazia

difficult to avoid religion because they are in a convent

Its hard to maintain a sense of their own when they are surrounded by this other religion

È come essere in un posto dove tutti mangiano e restare digiuni. Il patto di mamma era «niente chiesa», ma qui tutto è chiesa. Sembra che Ave Maria sia un bisbiglio perenne, sempre nell'aria, e il povero Gesù un vicino di banco. La nostra presenza è solo una momentanea nota stonata, prima o poi anche noi canteremo Gloria nel coro. Le suore erano state trepide ed emozionate fin dal primo giorno. Sì, certo, noi eravamo piombate lì per un vago pericolo esterno, ma in verità Dio aveva riempito il loro grembo con il più grande dei doni: noi, delle anime da condurre alla salvezza.

Le parole che la Superiora aveva proibito di dire, le suore le avevano trasferite nei segni di croce sempre più frequenti, nelle occhiate complici che ci lanciavano al di sotto delle cuffie ondeggianti, nel tono trionfale con cui facevano rimbalzare nei corridoi al crepuscolo la cantilena del rosario, nelle storie dei santi che ci facevano consumare la sera prima di andare a letto. «Leggi tu che ci metti tanto sentimento» mi dicevano, e io mi sentivo trascinare nel cerchio. L'esaltazione delle sante diventava la mia e il mio timbro saliva mentre le ragazze mi fissavano attonite e perplesse.

Dopo, in camerata, recitavamo come sempre lo «Shemà» a voce alta, ma è come quando si mastica qualcosa di gommoso che non è cibo. Non era più la zattera a cui ci eravamo aggrappate al principio, non era più la nostra unica preghiera: a forza di sentirle, sapevamo tutte quante a memoria «Santa Maria, mater dei», «Pater noster», «Kiriè eleison».

Incontravamo le suorette lavoratrici, quelle dell'orto. «Abbiamo pregato per voi» ci dicevano filando subito via, ammiccanti e veloci. Ci mischiavamo con le collegiali e a metà del gioco le più piccole ci guardavano con occhi tondi e canterellavano «Tanto voi andate nel limbo...».

Suor Adriana e Suor Maria Concetta, le nostre sorveglianti, ci chiedevano continuamente insensati e meschini sacrifici. «Fai un fioretto» dicevano. Rinunciavo a un polveroso dolcetto che Maria era riuscita a portarci, rinunciavo ad alzarmi e correre via quando avevo finito i compiti e restavo lì come un ciocco morto sul banco a guardare per aria con gli occhi sbarrati, rinunciavo a farmi dare dalla suora quella porzione di acqua calda che ci portavano la mattina con il secchio e facevo le mosse, toccandomi solo con un dito, di lavarmi con quella gelida del rubinetto di ferro.

Fingevo di non conoscere il senso di questi ottusi sacrifici, ma in verità sentivo chiaro che era il mio modo di assaggiare il frutto zuccherino di quella religione che era lì pronta ad avvolgermi come un compiacente caldo mantello.

Una volta era venuto il vescovo e alle ragazze invece del solito velo nero erano stati consegnati per la chiesa volatili tulli bianchi. L'avvenimento era così grande che anche noi, ammantate di bianco come spose, eravamo state chiamate a riempire i posti vuoti della cappella.

L'organo suona, le suore cantano: sento l'anima galleggiare in una esaltazione di luci e musica. Vorrei restare lì per sempre.

C'è nel reparto pensionanti un'altra ebrea che è diventata una delle tante amiche di mia madre. Si chiama Marina e non è sposata; ha con sé un bambino di sei anni. Non è suo, è figlio di una sorella che è morta anni fa e lei lo ha preso con sé per crescerlo. Il bambino, Sergio, ha ancora un padre che era andato in Sudamerica e ora si trova là e chi lo sa che fine avrà fatto. «Starà certo meglio di noi» dice Marina. È fissata, angosciata, passa la giornata ad arrotolarsi una ciocca di capelli attorno al dito e a torcersi le mani. «Vedete», Marina parla con chiunque le sia vicino, anche con noi bambini, «io questo figlio lo devo riconsegnare sano e salvo a suo padre quando sarà finita la guerra... la capite la mia responsabilità?».

Un giorno annuncia, sempre torcendosi le mani: «Ho deciso, lo farò battezzare... credo che gli darò una possibilità in più di salvarsi». Guardo mia madre che sta zitta. «E noi?» penso.

Mamma ha gli occhi cattivi e fa capire molto bene che non parla perché non vuole e non perché non ha niente da dire. Poi ci sono solo sussurri, suore che confabulano e corrono qua e là a passetti misteriosi e veloci. La porta per noi è chiusa. Non sappiamo più niente. Ogni volta che nell'ora dei giochi cerchiamo di avvicinarci a Sergio in giardino – e io proprio gli vorrei parlare – arriva Marina che lo strattona e se lo porta al riparo vicino a lei. Mi sembra che mia madre e le altre ebree non le rivolgano più la parola, ma non sono sicura.

Un giorno, cosa insolita per la mattina, arriva mamma tutta eccitata. «È successa una cosa bellissima» dice. Sergio, sì, Sergio di appena sei anni si è svegliato piangendo e si è messo a gridare «non voglio battezzarmi, non voglio battezzarmi...». Ha urlato, scalciato, è scappato per i corridoi. Ora si trova in giardino e nessuno riesce a prenderlo. Dopo un po' mia madre e le amiche, esclusa Marina, sono tutte insieme sotto al portico e si esaltano. «Il miracolo di Giuda Maccabeo» dice la mamma quasi con le lacrime agli occhi e le altre fanno sì con la testa. La fisso ostile. Non sopporto mia madre quando è scomposta e dice queste cose da palcoscenico. È volgare. Andare a pescare i Maccabei e le storielline di Chanuccà per un bambino scimunito che ha piantato un capriccio...

Intanto qualcuno ha già riacchiappato Sergio e lo ha tranquillizzato con tante promesse. L'eccitazione piano piano si spegne con l'andare dei giorni, ma una cosa resta chiara: la conversione non si farà più.

Mi accorgo che la mia avversione non è solo verso mia madre, ma avvolge anche Sergio.

«Che colpa posso avere io se ebrea ci sono nata?» buttavo lì debolmente di fronte a qualche suora che si disperava per noi... Andare al limbo? Solo perché uno è nato in un modo invece che in un altro, senza poterci fare niente... Mi smarrivo nei miei ragionamenti.

«A tutti una volta nella vita capita l'occasione di incontrare la verità... a tutti è dato un momento...» mi dice un giorno, scandendo come sempre freddo e marcato, Suor Maria Speranza, la mia suora insegnante.

Sento come uno schiaffo. Già, è così. Noi siamo qui, la grazia sta toccando le nostre dita e noi guardiamo dall'altra parte.

Vorrei parlare con qualcuno, vorrei che qualcuno mi prendesse per mano e mi facesse sbarcare dolcemente sulla riva giusta... Io, da sola, non so più dove volgere i miei passi.

Suor Maria Speranza dopo quella frase non mi dice più niente, non mi guarda, non mi vuole. Tiene la lezione nel suo modo corrucciato e corretto, fissando un punto nell'infinito al di sopra delle nostre teste. È giovane, ha lineamenti minuti e pallidi in un viso senza bagliori.

Ci sono stati i bombardamenti, le «esterne» hanno paura a fare la strada fino al convento e così in classe siamo rimasti in due, io e quel ragazzino, Ruggero, che conoscevo dai tempi della scuola ebraica e che ora è con sua madre nel settore dei pensionanti. Quando è bel tempo Suor Maria Speranza ci fa portare sedie e libri in giardino e traduciamo le frasi latine così rannicchiati al sole, vicino agli alberi stecchiti, ma è tutto senza vita e senza allegria.

C'è nel reparto pensionanti anche una sorella della nostra insegnante, scappata da qualche zona di guerra con un bambino di un anno che tutti abbracciano. «Suor Speranza si è pentita di essersi fatta monaca...» sussurrano le ragazze, guardando di sottecchi il viso chiuso che s'illumina appena un po' quando vede traballare sulle gambe incerte il nipotino...

Non lo posso credere. Suor Maria Speranza cela certo un suo sublime segreto dietro a quel viso di gesso, a quello sguardo smorto che solo ogni tanto si concentra in piccoli guizzi taglienti.

Sono stata sempre un'allieva abbastanza brava e sono abituata a ricevere dai maestri una indulgenza accompagnata da una più o meno accentuata simpatia. La chiusa indifferenza della mia insegnante mi fa ora sprofondare nei meandri di una non esistenza. Lei non mi vede e io non ci sono. Divento svogliata negli studi. «Attenta» mi dice un giorno aspra dalla cattedra, «sai che Ruggero sta diventando più bravo di te?». Aiutami, è come se io gridassi dalla prigione del banco. Ma lei continua a guardare cupamente fuori dalla finestra. Cerco di attirarla nel mio cerchio chiedendo in modo farraginoso e convulso altre spiegazioni su punti che abbiamo già studiato, ma riesco solo a provocare la sua malcelata irritazione di fronte a questa mia improvvisa ottusità. Tutto si confonde e ondeggia: finisco col non capire davvero e annegare nella mia stessa confusione.

Mi sto sbriciolando. Un giorno mi tende un libro. Sono le *Confessioni di S. Agostino e della vera religione*. Lo leggo e non riesco ad afferrare quasi niente, anche se mi ripeto meccanicamente, pensando ad altro, fino a tre volte lo stesso periodo. Ma forse quel libro è il suo modo di comunicare con me, è il suo messaggio.

«Tu mi chiamerai e griderai forte» c'è scritto. Forse però non è lei che vuole parlare con me, forse è Dio in persona. Non il Dio ebraico sempre arrabbiato, ma quello buono dei cristiani. Ma sì, Suor Speranza e il Dio cristiano mi stanno chiamando insieme. Suor Speranza non guarda mai il mio viso perché sta contemplando la mia anima, quell'anima su cui forse si è finalmente posata l'essenza misteriosa che aleggiava nell'aria fin dal primo giorno: la grazia.

Devo parlare con qualcuno, è urgente. Penso a mia madre e alla storia della zia Marina e del tignoso Sergio e mi vengono i brividi. Penso alle mie compagne di camerata che ripetono caparbiamente ogni sera con me lo «Shemà» e le allontano con fastidio dalla mente. Forse il più adatto è proprio Ruggero, il secondo alunno della mia classe: c'è un pezzo di Suor Speranza anche in lui. Resto attonita. Anche Ruggero sta rimestando in sé con disagio i miei stessi dubbi e paure. Ho un complice e, camminando in giardino insieme, ci esaltiamo tuffandoci nei labirinti di complicati progetti spirituali.

«Sai» gli dico un giorno pensosa, «per me non finirà solo con la conversione». «Lo so» risponde subito, «diventerai monaca». Faccio segno di sì con la testa, segretamente stizzita perché la parola dentro di me non è certo «monaca», ma «santa». La mia anima è talmente in corsa... Solo la santità potrà ancorarla.

Ruggero preferisce parlare e parlare, ma io no, io devo continuare. Ma cosa ci sarà da fare per diventare cristiana? Torno a essere cupa e insicura e i miei studi continuano a rotolare all'ingiù. Fisso con gli occhi sbarrati l'insegnante che mi ha fatto una domanda semplicissima e riesco a infastidirla di nuovo. Poi un giorno tutto si rischiara di una luce improvvisa: chiederò un incontro a Suor Maria Speranza. È lei che mi ha condotto a questa sponda, devo tutto a lei e a lei io porterò, rivestito come il più prezioso degli oggetti, il dono più atteso: la salvezza della mia anima. È al suo altare che appenderò la promessa della mia vita dopo la vita.

Passo un giorno e una notte a tremare e poi all'improvviso la blocco dopo la lezione a scuola. Le parlo concitata e sconnessa, le dico che sono state le sue parole, solo le sue fra le tante che tutti mi buttavano addosso, ad affondare in me. Mi sembra, mentre mi apro finalmente con lei, di intendere vibrare l'intero universo. Mi sento circondata da schiere di angeli che planano al suono di campanellini celesti, con in mezzo la mia protettrice e guida che è lì per accogliermi piangendo fra le sue braccia.

Suor Maria Speranza mi guarda intenta con appena un vago sorriso, poi si mette quietamente a sedere e per un po' non parla e non mi guarda. «Vieni con me» mi dice dopo con il suo solito tono triste e affaticato. Dove andiamo? Ora tremo più che mai. Dalla Madre Superiora? Da quel vescovo rosso che è venuto in chiesa il giorno che avevamo tutte il velo bianco? O nelle celle segrete delle suore consigliere?... No, mi sembra che stiamo percorrendo strade note. Quello è il solito corridoio con la Madonna nell'angolo. Là in fondo c'è l'aula dei compiti. Cosa ci facciamo in questi luoghi polverosi e conosciuti? Ecco, si ferma proprio davanti alla nostra camerata e chiama Madre Adriana e Madre Maria Concetta, le suore sorveglianti. Ora confabula piano con loro. Ma cosa fa? Cosa sta dicendo? Perché sta già voltandosi come se fosse pronta a muoversi?

Lo capisco all'improvviso ed è come se avessi sbattuto la faccia contro una parete di vetro: lei se ne andrà e mi lascerà qui.

Vedo tutto buio. Mi ha tradito, tradito, ha gettato il mio dono nella spazzatura, mi ha consegnato come un pupazzo vecchio a quelle specie di guardiane di oche che devono solo controllare se ci laviamo i denti la mattina. Niente vescovo, niente incontro di anime, solo le nostre solite ottuse quotidiane monachelle.

Loro, le suore, sono ora tutte rosse in viso e guardandosi continuamente l'un l'altra con gli occhi un po' lucidi e senza sapere bene cosa dire, continuano ridacchiando a farsi il segno della croce.

«Vieni, vieni» mi dicono con l'affanno, tentando di trascinarmi mentre io resto inchiodata al pavimento. Volto appena la testa: Suor Maria Speranza a passi rapidi e alteri ha già ripercorso tutto il corridoio sulla strada del ritorno. Un attimo e non la vedo più.

Le suore continuano a dirmi «vieni, vieni» e io non ho la minima idea di dove mi vogliono trascinare. Attorno è già confusione. Prima non ero andata a mettere a posto i libri dopo la scuola, poi, molto tardi, sono arrivata accompagnata dalla mia monaca-insegnante, ora resto nel corridoio con Suor

Concetta e Suor Adriana tutte per me. Cosa sta succedendo? Le ragazze si affacciano curiose, le più piccole mi tirano per la manica. «Sei stata cattiva?». Ecco mia sorella, è già appiccicata a me. È la sorella che mi è più vicina d'età. Nostra madre ci ha sempre vestite uguali e ci ha ingabbiate a fare la stessa identica vita, così lei poteva decidere di noi come se fossimo una e non due. Sono la più grande, mi piacerebbe tirare da sola, ma per mia sorella è peggio: bene o male si trova a camminare sulla mia scia.

«Dove vai?» sta già chiedendomi anche questa volta, mentre le suore sono riuscite a farmi fare qualche passo... «Aspettami, vengo anch'io!». Suor Adriana la guarda perplessa, poi torna a illuminarsi: «Certo, vieni anche tu».

«Dove andiamo?» mi chiede piano mia sorella. Sono fuori di me, non le rispondo. Neanche questo momento mi è dato vivere da sola, ma la verità è che non saprei cosa dire. Dove mai stiamo andando? Quale incontro devo ora aspettarmi?

Non è un incontro, è un luogo buio. Siamo in chiesa. È tutto gelido e nero tranne il lacrimoso candelotto sotto Gesù Cristo. L'odore d'incenso mi è insopportabile e cerco di respirare solo con la bocca. Non c'è musica, né cori né preghiere, solo i nostri passi che fanno un irriverente rumoroso «toc» sul pavimento di marmo. Mi afferra l'orrore e una specie di vortice di panico. Cosa sto facendo qui io, la bambina della scuola ebraica, che fino a ieri cantava a squarciagola con tutte le altre «Maoz zur» quando sfavillavano le luci di Chanuccà? Poi mia sorella comincia a singhiozzare. Piange, piange, piange e mentre il mio sguardo ancora finge il fastidio, tutto il mio essere vola verso di lei.

Siamo di nuovo una, vestite uguali, fatte uguali. Grazie, grazie sorella mia con le mie scarpe dell'altro anno, grazie perché sei qui e stai piangendo al posto mio.

Siamo tutte impalate, con mia sorella che piange e le suore che non sanno quale deve essere il prossimo passo. Per venire in chiesa abbiamo percorso il camminamento interno, quello che ha il soffitto abbassato. Ora Suor Maria Concetta corre via e apre il portale grande e così, senza che nessuno abbia deciso, ci troviamo subito all'aperto sotto al portico. Resto impietrita: lì, di fronte a noi, l'immagine della furia, c'è mia madre. Il nostro segreto non è durato nemmeno dieci minuti, le ragazze lo hanno sentito nell'aria, qualcuna è corsa a chiamarla, non so...

Mia madre non è mia madre, i suoi capelli sono serpenti, i suoi occhi scintille di fuoco, la sua voce, come Sansone, fa tremare le colonne del chiostro. Mia madre grida e accusa. Forse sta per sbranare le piccole suore. Non le viene in mente che loro ci possono buttare fuori, in mezzo al pericolo, anche se a noi lo dice ogni giorno. Suor Speranza e Suor Concetta, investite dalla sua violenza, vacillano, tremano anche loro, come prima le colonne del chiostro.

Mia sorella si è mossa per prima, è corsa fra le braccia della mamma e ha già smesso di piangere, le suore si sono strette come in un unico corpo e stanno arretrando verso la chiesa.

Restiamo io e mia madre, l'una di fronte all'altra, nemiche.

Non posso, non posso tirarmi indietro ora. Grido anch'io, le dico che preferisco un dio che ama l'amore a uno che s'impunta sull'«occhio per occhio». Mi guarda con sbalordito odio, non sa neanche rispondermi. Poi rientriamo lentamente in camerata, mia madre è già lontana. Le suore fanno come se non fosse accaduto niente e stanno dietro ai soliti noiosi programmi, la Madre Superiora non appare, forse non sa nulla. Verso sera arriva di nuovo mia madre. Non mi guarda, mi dice solo: «Ho telefonato a papà, domani viene a prenderti».

Papà ha attraversato la città piena di pericoli per potere parlare con me. La mia strada di ritorno è già bell'e disegnata: sarà lui a gettarmi la gomena. Sono salva. Papà mi guarda cauto e come al solito è in imbarazzo. Prendiamo in silenzio l'autobus per non so dove. Ma sì, ci troviamo in un bel ristorante vicino al Pantheon. Comincio a essere molto contenta, sono uscita dal collegio, sono in mezzo alla gente fra tovaglie di stoffa e bicchieri che luccicano, le cose da mangiare mi sembrano buonissime.

Mio padre mi ha portata qui per parlare con me e si aspetta di certo tanti argomenti da controbattere per farmi cambiare idea. È meglio allora prepararsi qualche debole difesa. Papà non comincia mai il discorso, ma finalmente attacca. Mi confida che lui non è osservante ma, attenti, non è nemmeno ateo. C'è una definizione che lo convince, sì, gli sembra proprio adatta: lui, lui è «teista». Non so cos'è il teismo, vero? No, è chiaro che non lo so ed ecco che papà, con gli occhi che via via si animano, mi comincia una lezione sul teismo. Spiega, illustra, sempre più infervorato, fa obiezioni e contro-obiezioni mentre io con la forchetta a mezz'aria lo guardo imbambolata. Papà, cosa fai? Da dove è sbucato fuori questo «teismo»? Perché non mi parli della «religione dei padri» e non mi dici che «potrò scegliere da grande»? Mi sembra di essere tornata al tempo dei compiti, quando ti chiedo delle spiegazioni di matematica e tu mi fai tutto più complicato, proponendomi felice di cercare una strada «tutta nostra» per arrivare alla soluzione. Sto annegando nello stupore mentre mangio un miracoloso, vero stufatino di carne.

Solo alla fine, già al momento del conto, mio padre mi guarda di nuovo vagamente imbarazzato e mormora: «Capisci che sono tutte sciocchezze quelle che hai detto alla mamma?».

Faccio segno di sì e riprendiamo l'autobus per il ritorno. È finita. Mi riconsegna a mia madre con un cenno che io fingo di non vedere. Il giorno dopo, mentre lei non si è accorta che sono dietro alle sue spalle, la sento raccontare in giardino che suo marito è stato bravissimo a convincere la bambina...

La sera, all'ora del rosario, mentre il corridoio è deserto, corro a chiudermi nei gabinetti e resto lì ferma, senza fare niente e senza pensare per tutta l'ora.

Ma mi sembra che la mia bocca sia cucita quando più tardi, nella camerata, tutte le bambine recitano a voce alta «Shemà Israel».

La retata

C'è uno strano trambusto giù, davanti alla portineria. Siamo in classe, ma in un solo istante ci ritroviamo tutte affacciate alla finestra. La scena tante volte pensata e respinta è lì di fronte a noi: ci sono sei soldati tedeschi in riga con il fucile spianato. Il sangue dentro di me fa bizzarre capriole. Prima è come un blocco compatto che ghiaccia anche il respiro, poi si mette a correre all'impazzata e preme bussando contro le orecchie fino allo spasimo.

«Maria Cristina Cataldi, Maria Cristina Cataldi». Continuo ad aggrapparmi al mio nome falso, il solo salvagente che ho, mormorandolo e rimormorandolo come una personale orazione. Ma so, sento, che questo è soltanto un gioco, l'estremo gioco del pericolo. Nella realtà c'è il sangue che galoppa dentro di me, ma al cervello non arriva: ho solo sensazioni, non pensieri e so che non potrei pronunciare nemmeno una sillaba.

Cosa vogliono quei tedeschi? Chi cercano? Cosa gli sta dicendo la suora portinaia? Fissiamo la scena scandita solo da gesti, come quei filmetti senza parole che vedevamo nelle sale parrocchiali. Suor Casimira, la suora portinaia, indica il convento allargando le braccia, fa un cenno al proprio velo di monaca e sorride tranquilla. Dio, com'è tranquilla Suor Casimira. E i tedeschi? Prima sono là fermi, poi si stringono per consultarsi tra loro, fanno un saluto come un po' dubbioso, ecco, se ne vanno.

Non si vedono più, sono già al cancello esterno. Com'è possibile? Rotoliamo tutte giù dalle scale a fiumana, ma Suor Casimira ci manda via. Mia madre, alla fine delle lezioni, mi racconta che i tedeschi stavano cercando un loro soldato che era scappato. Volevano frugare in tutto il convento, ma la monaca li aveva convinti. «Siamo solo suore e bambini» ripeteva, «solo suore e bambini... suore e bambini» e sorrideva. E quelli, un po' perplessi, erano tornati indietro.

Già una volta Suor Casimira si era trovata in portineria un tedesco, ma allora era da solo. Non si sapeva cosa volesse: prima aveva domandato di una certa signorina Monica che da noi proprio non esisteva, poi aveva chiesto di telefonare. La suora si era nascosta dietro un armadione e con quel po' che capiva di tedesco aveva sentito che il soldato chiamava un ufficio del suo comando per certe noiose questioni pratiche. Perché dal convento? Nessuno lo aveva capito.

Il non sapere è quello che rimescola in noi la paura. La paura è qualcosa che ti stringe la gola e ti regala un sapore di ferro in bocca, come le peggiori medicine di quando eravamo piccole. La paura va e viene, ti fa sprofondare e poi un poco risalire, ma ti lascia più incerta, più traballante, come un insetto senza zampe.

La paura ha anche il nome di Maria. La «nostra» Maria, che occupa la «nostra» casa con il suo fidanzato Tarcisio e che ogni tanto viene a trovarci portandoci melette bitorzolute in una valigia di cartone. «Ha telefonato un vostro parente» ci dice un giorno emozionata. «Era tanto in pensiero per voi, voleva sapere se siete in salvo». «Che parente?». Anche a mamma qualcosa deve stringere in gola perché la sua voce è smorzata. «Non lo so» Maria è tutta infervorata per la novità che è venuta a portarci, «non ho capito bene che cugino è, comunque è di sicuro un vostro parente perché aveva l'accento del nord... e poi parlava della nonna a Torino». «Tu cosa gli hai detto?». Mamma sta scuotendo il braccio di Maria e mia sorella piccola, vedendo strapazzare la sua tata, scoppia in singhiozzi. «Che siete tutti salvi in un convento... che l'avvocato è... è in una pensione...». Ora Maria sta perdendo sicurezza e parla mogia e incerta.

«Gli hai detto dove?». «Dove?». Maria adesso è più che mai confusa. «Sì, l'indirizzo». Maria non ha dato proprio l'indirizzo, no, ha detto «in campagna, ma vicino...». «Però è certo che è un parente... poi non ha più chiamato». E Maria se ne va, trascinando pesante il suo avvilimento.

Stiamo tutte zitte, solo mia sorella piccola chiede: «Mamma, chi è questo parente?». E mamma dice calma: «È il cugino Attilio».

Ho visto mia madre smorta come un pupazzo di cenci e certe notti non riesco a prendere sonno: ora la paura non è più quel nemico irruento che mi aveva afferrato alla gola, è una nebbiolina sottile che s'infila veloce e insidiosa in tutti gli spazi della giornata lasciati vuoti da gesti e pensieri. Chi è questa persona sconosciuta che ci ha telefonato? E la vedo con l'immagine che legavo da piccola alla misteriosa e quasi affascinante parola «malandrino»: un uomo che sta nell'ombra con il mantello e la faccia tutti neri. Lui mi vede e io non lo vedo. Fa freddo quelle notti in camerata.

Nel dormitorio delle grandi al piano di sopra, fra le ebree, è regina Gemma, occhi di giaietto e guance di melograno. Caterina e Margherita, le ragazze che vanno sempre alle feste dei tedeschi della villa accanto, l'hanno scelta: le lega il fluido invisibile che unisce fra loro i belli come in una sontuosa casta. Caterina la copre di abbracci e ogni volta che esce per una delle sue serate le regala tutta la sua cena del collegio. Per me vedere Gemma è come quella volta in Liguria quando ho incontrato la mia diva preferita del cinema.

Un giorno Gemma è nel corridoio, nel «nostro» corridoio al piano terreno, cammina quasi correndo su e giù, mi sembra pazza. «Vi odiano» mi dice all'improvviso. Non capisco niente, assolutamente niente. «Chi ci odia?» le chiedo un po' emozionata perché Gemma sta parlando proprio a me. «Caterina e Margherita, me lo hanno detto stasera che vi odiano tutte e che salveranno solo me».

Perché ci odiano? Noi quasi non le conosciamo... inutile chiederlo a Gemma, è così turbata, anche se poi... poi a lei la salvano.

«Credi che abbiano raccontato ai loro tedeschi che qui ci sono tutte queste ebree?». «Non lo so...». Gemma è molto cupa. «Forse no e poi forse a questi della villa non importa degli ebrei, sono tedeschi del Comando, pensano alla guerra...». «Sono tanti mesi che Caterina e Margherita vanno in quella villa» mormoro, «a quest'ora sarebbe già successo qualcosa...». «Già» ora Gemma dal sollievo quasi sorride, «lo penso anch'io».

Stiamo camminando insieme su e giù come prima faceva lei da sola e dopo un po' mi accorgo che abbiamo continuato a parlare. Parliamo quieto e serrato per tanto tempo. Gemma in fondo a 15 anni è la più piccola della camerata delle grandi, io a 12 la più grande di quella delle bambine. Siamo l'anello di congiunzione, lei ha ancora voglia d'infanzia, io cerco di arrampicarmi per provare a crescere. Quando deve andare via mi dà la mano come fanno gli adulti e io lo trovo normale.

La sera a letto ancora la nebbiolina insidiosa che non mi lascia prendere sonno. La nostra vita è forse in mano a due liceali arroganti?

Anche mia madre ora mi racconta quello che succede come se fossi più adulta. Che io stia veramente diventando grande? Nell'aspetto no di certo, non sono cambiata, il freddo e la sospensione della nostra vita ci hanno quasi rattrappite. Forse mi è cambiato qualcosa dentro da quando gli americani sono sbarcati sulla spiaggia di Anzio. In giro sembrava una festa, tanto la gente era felice. Molti dei pensionanti avevano già cominciato a mettere roba nella valigia, anche se poi, man mano che passava il tempo e nessuno arrivava a liberarci, si vergognavano di quell'entusiasmo dei primi giorni e dicevano che non era vero niente, che loro da sempre usavano la valigia come armadio per mancanza di spazio.

Forse è stato da Anzio che ho capito che un giorno saremmo tornate a casa e ho smesso di dare importanza a quello che accadeva in convento.

Mi sono seduta accanto a quelli che aspettano: non mordo, non incido più. È a questa mia nuova quiete che la mamma parla. Mi racconta quello che vede quando va a incontrare papà a Monte Savello, chissà perché così vicino al vecchio ghetto, e così mamma ha visto svaligiare il negozio di Calò a via Arenula: c'era un camion e i tedeschi caricavano la roba con molto ordine e calma. Nella zona del quartiere, mi dice mamma, passeggia una spia, una donna ebrea molto bella con gli occhi neri che chiama forte per nome i suoi amici ebrei che camminano per strada. Ci sono i fascisti nascosti da qualche parte che sbucano fuori e li prendono. Penso a quello che ci ha telefonato a casa: farà lui al telefono come quella donna col saluto per strada?

Ecco, ci siamo, anche le suore questa volta sono pazze di eccitazione. Il Papa parlerà alla gente perché ha da annunciare qualcosa di molto importante. Loro, le suore, lo sanno cosa dirà il Papa e anche tutto il resto del convento lo sa. Chiederà che Roma diventi città santa sotto la protezione del Vaticano e che i tedeschi e gli americani vadano a farsi la guerra da qualche altra parte.

Persino papà è venuto apposta per darci questa notizia e mischiare le sue informazioni con le nostre: è stato come il migliore dei dolci che tanto tempo fa si facevano a casa. Questa volta i pensionati non si vergognano a dire di aver fatto la valigia. Anche mamma sta impacchettando degli oggetti che secondo lei non le servono tanto. Siamo tutte sedute nel refettorio attorno ai tavoli vuoti e guardiamo la radio che le suore hanno messo in alto nella nicchia al posto della Madonna. La statuina azzurra per una volta è rimasta a terra con la faccia dalla parte del muro. Alle tre suonano tutte le campane, le campane dondolano e si rincorrono dandosi la voce sotto la brezza di marzo dai campanili di tutta Roma.

Ecco il Papa, il Papa ora parla. Mi sembrano subito le solite frasi tutte buone, il pontefice sta chiedendo ai soldati di risparmiare Roma per non aggiungere alle altre «una nuova onta». Ha detto proprio così, «nuova onta», ma non ha comunicato al mondo che la gente come noi può tornare a casa. Forse sono io che non ho capito bene, corro subito a sentire mia madre, ma quando vedo la sua faccia non le chiedo più niente.

Così torniamo ad aspettare gli americani che vengono avanti così piano, così piano... E pensare che noi ad Anzio siamo andati una domenica dalla mattina alla sera a fare una gita con il trenino. L'immobilità un po' apatica dell'attesa continua a darmi brividi insieme a una vaga non confessata delusione che tutto stia per finire così senza che sia successo nulla, niente avventure, colpi di scena, solo un'uggia sottile. Mi consolo rimestando ostinatamente le mie paure: l'uomo che ci ha telefonato, i tedeschi che sono venuti a cercare chissà chi, i militi che hanno messo sulla strada il loro gabbiotto di legno proprio a dieci passi da noi. Sono lì per la borsa nera, ma se chiacchierando con la gente un giorno scoprissero chi siamo? E Caterina e Margherita che hanno la nostra vita nelle loro mani arroganti e capricciose? Loro vogliono salvare solo Gemma, Gemma la bella, e a noi schiacciarci sotto al piede...

Mi racconto le mie paure anche per tenerle sott'occhio. Per me è così da sempre: se penso a una cosa, se la temo, so che non può succedermi. Le disgrazie arrivano perché non ti sono mai venute in mente.

È arrivata la Pasqua ebraica e siamo tutte tristi perché ci ricordiamo quello che mamma continuava a dirci nei mesi passati: «Non posso nemmeno pensare che a Pasqua saremo ancora qui». Non posso nemmeno pensare... Invece siamo qui senza azzime e nemmeno un po' di erba amara perché la verdura non si trova.

Speravamo che le suore, che sanno benissimo che per noi è una sera di festa, ci facessero una cena un po' diversa, invece abbiamo trovato cannolicchi in brodo d'acqua ed è andata via la luce.

Tutto è scuro e gli umori lo sono ancora di più perché oltre a essere così dispiaciute abbiamo litigato con la mamma. E questo solo perché qualche giorno fa è venuta traballante sui suoi tacchi ortopedici la madre di Fiamma, quella ragazzina della scuola ebraica che allora si sbiondiva i capelli e ora è qui con noi bruna e arruffata insieme alla sorella piccola, Fioretta. La madre di Fiamma e Fioretta ha deciso di portare via le figlie per una sera. E cosa è mai una sola sera? Loro vogliono essere di nuovo un attimo tutti insieme per il Seder, la cena della Pasqua ebraica. A casa, solo per poche ore, ma a casa.

È troppo pericoloso, dicono le suore, chiudendo il loro spavento nelle mani congiunte, ma la madre di Fiamma insiste agitando la sua zazzera che assomiglia a una scopa di saggina e sembra una buffa marionetta che stia mimando la sua bella storia.

«Cosa volete che possa succedere in poche ore? Mica i tedeschi sanno tutto... E poi è finito il tempo delle grandi retate...».

Non è più il tempo delle grandi retate? Mia madre è di nuovo fuori di sé: «Ma come, se pochi giorni fa hanno acchiappato più di trecento persone e le hanno tutte ammazzate!». «Beh, però c'era stato un attentato» mormora l'altra con voce quasi di condanna. E allora?

Vedo che mia madre ha ancora una volta i suoi occhi di fuoco, ma io mi sento dalla parte di Fiamma e Fioretta. Sì, per me l'essere ebrea, meno quella volta che avevo avuto voglia del paradiso dei cristiani, è come avere questa faccia, questo vestito o questo colore di capelli. È una cosa che mi è capitata così. Ma il Seder di Pasqua no, il Seder è la nostra personale stella cometa. Mio nonno era un patriarca e ad ogni Pesach aveva attorno al suo tavolo grandissimo più di cinquanta persone, almeno così mi ha raccontato la mamma. Da noi, dopo, siamo stati molti di meno, sempre un po' pochini, ma azzime, «caroseth» ed erba amara li aspettavamo tutto l'anno.

Prima, quando le mie sorelle erano troppo piccole, come mi era successo alla scuola ebraica, avevo fatto io le «quattro domande»... poi era toccato a loro e tutti ascoltavamo lei, la piccola della casa, che in piedi sulla sedia chiedeva: «Perché questa sera è diversa dalle altre sere?...».

Sì, è diverso. Mamma, perché non andiamo anche noi un giorno a casa? Lo dico così piano che mamma pare nemmeno mi senta. Allora Fiamma mi abbraccia e mi sussurra: «Vieni con noi, ti portiamo con noi». Guardo mia madre che ora sì ha sentito e mi comunica un fulminante «no» solo con lo sguardo.

Fiamma si è spazzolata i capelli, ma il tentativo di resuscitare la forma dei boccoli non le è riuscito. A Fioretta hanno messo in testa un fiocco, strattonandola un po' perché continua a piagnucolare. È così paurosa quella bambina. Quando passano gli aeroplani a buttare le bombe riesce a essere l'immagine del terrore. Noi alle bombe siamo un po' abituate, le vediamo per aria tutte belle disegnate con la forma della bomba e poi le sentiamo cascare chissà dove. Una volta eravamo in fila per una passeggiata in campagna e ci siamo trovate ancora con questa scena delle bombe che cadevano forse un po' più vicino, mentre la contraerea faceva pam-pam. Avevamo un bel po' di paura, ma Fioretta... Fioretta si teneva tutte e due le mani a coprire le orecchie, come se l'unico pericolo venisse dal rumore, mentre immobile, con gli occhi sbarrati, gridava a squarciagola: «Siamo morti, siamo morti!». Con quel «siamo morti» eravamo riuscite persino a ridere un po'.

Speriamo che questa sera non bombardino, ora che le bambine sono tutte pronte per la città. È un momento: loro sono già fuori sotto le stelle e noi qui a macinare la nostra Pasqua nel refettorio, al buio.

Fiamma e Fioretta devono tornare la mattina dopo, ma all'ora di pranzo non si sono ancora viste. «I soliti incoscienti» sibila mia madre e anche le suore paiono molto arrabbiate. Poi mia madre sparisce, non si fa vedere, non ci vuole incontrare come fa di solito nel primo pomeriggio.

Le suore nostre sorveglianti a un certo punto sono sparite anche loro e restano via un mucchio di tempo, lasciandoci sole e stranamente tranquille nella stanza dei compiti. Non succede niente per un periodo interminabile, poi arriva da noi, proprio da noi, la Madre Superiora.

Comincia a parlare del Signore Iddio che fa delle cose che noi non capiamo, ma lui sì... Non ascolto neanche questi discorsi, ma piano piano comincio a sentire che quella vaga inquietudine che chissà perché mi sta tenendo compagnia da ore, si sta trasformando in un orrore, in una montagna nera così grande che non posso, non voglio vedere.

Non voglio neanche ascoltare. Ma quando te ne andrai, Madre Superiora?... Io l'ho afferrato che tu vuoi provare a dirci, tu credi di poterci dire che è successo qualcosa a Fiamma e Fioretta. Perché le mie compagne stanno piangendo? Perché credono a tutte le scemenze che ci raccontano le suore? Cosa può sapere la Madre Superiora di Fiamma e Fioretta che non rientrano ancora?

Corro via come una forsennata e cerco di farmi aprire da mia madre che si è chiusa a chiave dentro la sua stanza. Finalmente socchiude la porta e mi mostra il viso che non ho mai visto in tutta la mia vita.

Mia madre piange e mi dice le parole tra i singhiozzi e parla di una spiata... «Hanno fatto la spia i vicini, sono arrivate le SS con i fascisti e hanno preso tutta la famiglia... lì a Monteverde, anche una donna con un neonato in braccio...». Faccio qualche passo indietro... No, non è vero, mia madre non può essere come le monache che credono a tutto quello che la gente racconta... i tedeschi, questi della villa accanto, sono educati e poi che se ne fanno dei bambini piccoli?

«Io non ci credo, non ci credo!» dico battendo i denti. Mamma mi regala una carezza e poi chiude cautamente la porta, gira di nuovo la chiave e mi lascia fuori.

La sera nel refettorio le suore hanno già spostato i piatti per coprire quei due buchi vuoti a tavola. Nessuno si muove, nessuno fiata: è come se il silenzio ci aiutasse a rendere meno reali le cose. Il suono più importante diventa il rumore del cucchiaio nel piatto e il mormorio delle monache che non si sono fermate dopo la benedizione e continuano a pregare.

All'improvviso, nel vuoto assoluto, solo una voce piccola e stridula. Ci voltiamo: è la voce di «Spepetto», la bambina di tre anni che non sa ancora nemmeno parlare bene. Spepetto si è messa, così d'un tratto, a gridare: «Voglio Fioretta, voglio Fioretta, voglio Fioretta!». La guardiamo attonite e sbalordite, poi ci mettiamo di colpo tutte a piangere.

L'immagine che mi tormenta la sera a letto non è quella di Fiamma mia amica di scuola, no, continuo chissà perché a vedere Fioretta che si copre le orecchie con le mani mentre urla «Siamo morti, siamo morti».

A casa

Non c'è stato un momento: prima tutto buio e poi, zac, la luce. Niente squilli di tromba, il frizzantino della gioia che ti fa camminare saltellando. No, qui tutto è rotolato quieto e scontato, già vissuto, già pagato: i bombardamenti sempre più vicini, le cannonate che sbuffano nuvolette sui Castelli romani. Mamma sì, è emozionata e ripete: «È questione di ore, è questione di ore», ma lo dice ormai da tanti giorni...

Poi, questo è vero, i tedeschi, i tedeschi, i nostri vicini che imballano casse mentre gli altri soldati ci passano davanti venendo da chissà dove, a cavallo, in bicicletta, sui carretti e anche a piedi, strascicando il passo come capita a noi quando ci chiamano per i compiti.

Uno si ferma al convento, chiede da bere. Le suore lo accompagnano alla fontana giù nell'orto e noi dietro, solenni, a fare da spettatori, come se questa fosse l'unica scena della storia che ci sia consentito vedere. Il soldato è sudato come mi sembra che siano sempre tutti i soldati e quando si allontana, stordito e pesante, la suora dice «povero ragazzo». La guardo stupita: ma quelli non sono i nostri nemici? Nessuno mi ha detto se si può chiamare «povero ragazzo» un nemico...

Ora non si sente più sparare, nessun aeroplano attraversa il cielo. C'è un silenzio greve e concreto che batte come il passo di uno scarpone.

Che cosa sta succedendo? «I tedeschi sono riusciti a ricacciare indietro gli americani, vedrete, è andata così» si dispera Marina, quella che si torce sempre le mani. Anche i telefoni e i tram misteriosamente non funzionano più. Ora veramente la città tace in attesa di qualcosa.

La mattina dopo è tutto un grido: «Sono arrivati, sono arrivati!». Non si sa chi grida, non si sa da dove arrivano le voci. Forse è scritto in cielo e lo urlano i tetti, le pietre, gli alberi. Strano, da noi è solo verde, gatti pigri sotto al portico, uccellini che fanno leziosi e prolungati ciiip e provano a saltare sul ramo più vicino al sole. Eppure quel «sono arrivati» sfavilla e scoppietta anche qui.

«Andiamo a vedere!». Mamma si è febbrilmente preparata per arrivare al quartiere più vicino, là dove ci sono strade, case, gente... «Veniamo anche noi...» ci agitiamo emozionate accanto a mia madre... «No, siete troppo piccole e poi non state bene». Io e mia sorella, la minore, in verità abbiamo la tosse convulsa, ma questo non c'entra con l'arrivo degli americani: non siamo mica imbucate in un letto!

Mamma per farsi accompagnare sceglie Gemma e due o tre altre ragazze del dormitorio delle grandi e noi restiamo qui in attesa che qualcuno ci porti una porzione incartata della sua parte di festa.

«Sono alti, hanno rose rosse sugli elmetti, buttano cioccolata nelle mani della gente e abbracciano tutti e la folla... la folla abbraccia loro». Mamma convince le suore a mettere al balcone la bandiera tricolore, perché a Roma, in città, è tutto un bianco-rosso-verde che sbatacchia al sole e al vento. Col naso per aria guardiamo la bandiera, poi mamma finalmente ci prende per mano e ci porta a passeggiare su e giù davanti al convento, guardandosi intorno senza abbassare il viso, ma da quelle parti non passa quasi nessuno.

Noi, gli americani li vediamo qualche giorno dopo. Sono due e, strano, anche loro chiedono acqua da bere. La suora li porta al fontanone dell'orto e noi le andiamo dietro in fila, tale e quale come è successo qualche giorno fa con quel tedesco. I soldati americani bevono, poi si buttano acqua in faccia, ci strizzano l'occhio e ridono. Sono belli come diceva mamma e ci accorgiamo che stiamo tutte ridendo come loro.

Mamma è tornata a casa e noi no. Mamma ci ha convinte che per la nostra tosse convulsa è meglio stare ancora un po' all'aria buona del convento, e peggio per la terza sorella che non si è presa la malattia. In più, dice sempre mamma, a casa non c'è da mangiare perché i soldi sono quasi tutti finiti e così non si può comprare alla borsa nera. Nel convento invece ci sono i pomodori dell'orto e tutte quelle provviste che le suore avevano nascosto per i giorni brutti che invece così brutti come pensavano loro non sono neanche arrivati. Ci lamentiamo in coro con tali infuriate proteste che mamma questa volta deve un pochino arretrare. Almeno un giorno per riabbracciare casa nostra lo otteniamo, poi si vedrà.

Ed eccoci salire a piedi senza parlare, con la scusa del fiatone, i cinque piani di scale, perché l'ascensore non può camminare senza la corrente elettrica che non c'è. Poi la chiave gira: casa, casa nostra. Dio, com'è piccola! Il corridoio e le stanze sembrano scatolette rachitiche dopo gli spazi del convento.

Maria è lì di nuovo con noi, arcigna come se niente fosse accaduto in questi mesi e quei vicini della casa dove abitava prima, ora li saluta appena. Nei mesi che è vissuta nel nostro appartamento con il fidanzato Tarcisio le è scoppiata una caffettiera e il caffè è schizzato sulle pareti e il soffitto della cucina. Sopra alle macchie hanno malamente buttato della calce e ora la cucina è tutta butterata, come se avesse una malattia della pelle.

Niente mi piace, niente mi parla nella mia squallida casa. Il mio sognare su di lei tutti questi mesi era falso come questo fornello che non si può accendere perché non c'è gas e questi rubinetti di latta arrugginita che non buttano acqua. Maria mi mette in mano dei fiaschi e si fa accompagnare a caricarli alla fontanella vicino alla scuola e mentre mi accorgo che mi si sono infradiciati i sandali mi sorprendo a pensare con nostalgia a Suor Maria Concetta della nostra camerata.

Siamo comunque ritornate a casa, anche se la tosse convulsa non è passata del tutto. In convento di allieve c'eravamo ormai solo noi e poi c'è da vedere cosa ne faremo di quell'anno scolastico diligentemente consumato fino alla fine del programma.

Mio padre ha già formato un comitato. Sono tutti genitori come lui che sono riusciti a fare studiare i figli di nascosto durante il periodo dei tedeschi. Bene, il comitato chiede tutto trepido ed entusiasta una sessione di esami speciale e subito. Non è giusto, dice mio padre, che quei bambini che sono riusciti a studiare bene, magari con un nome falso, subiscano l'umiliazione di dover fare esami con i rimandati a ottobre.

I «rimandati a ottobre» non sono mai comparsi nella nostra famiglia, è come se appartenessero a un mondo diverso, magari un po' maleducato. Mio padre e gli altri padri vanno ogni giorno al Ministero, che non si sa nemmeno bene se riesce a stare in piedi e se c'è qualcuno che lo comanda.

Mamma invece è sempre alla Croce Rossa: da lì si mandano e si ricevono fogliettini per sapere chi si è salvato e chi no. «Tutti vivi, tutti bene» scriviamo a Torino alla nonna. E pochi giorni dopo arriva la risposta con «tanti abbracci» e «nessuna notizia della zia». Poi un altro biglietto, sempre della nonna, ma deve essere molto tempo dopo: le sorelle e i fratelli di mio nonno, che era morto nel '38, tutti portati via dai tedeschi dall'ospizio dei vecchi a Saluzzo.

L'altra mia nonna, quella che si era nascosta come noi in uno dei conventi di Roma, è venuta a vivere a casa nostra perché i soldi sono finiti, dei Buoni del Tesoro della dote di mamma si può fare carta da pacchi e così a vivere insieme si spende di meno. Maria e mia nonna litigano spesso e noi cerchiamo più di prima di scappare fuori all'aperto.

Intanto il Ministero ha risposto «no» a mio padre e agli altri padri, o forse non ha risposto affatto. Faremo gli esami a ottobre. Mia madre ha paura che nell'estate ci dimentichiamo tutto e ci manda a ripetizione. La professoressa in questa calda stagione è abituata ad avere proprio quei «rimandati a ottobre» che fanno tanta paura a papà, e di fronte alla mia docile diligenza è tutta sorrisi, «ma com'è brava questa ragazzina».

E invece perdo. A forza di sentirmi ripetere «brava» ho stolidamente abbandonato per un attimo quella mia coccolata e privatissima superstizione che dice: «Se ci pensi non succedono cose brutte». Non ci ho pensato. Ho dimenticato di avere paura dell'esame e sono andata a incepparmi su una domanda di analisi del periodo. Gli insegnanti, tutti tristi, sono in cerchio attorno a me a dire: «Su, su, ma come!... finora hai risposto così bene...». Niente da fare, mi sono affezionata a quella risposta sbagliata che continuo a ripetere con ostinazione, e loro sempre tristi sono costretti a mettermi «buono» nei quadri finali e non «ottimo» come volevano.

Prende naturalmente «ottimo» un mio compagno della lontana scuola ebraica di Torino, che con la sua famiglia si era nascosto a Roma nel periodo dei tedeschi ed è sbucato a un tratto, tutto torinese, a fare gli esami nella nostra casalinga scuoletta di

Monteverde. Ha fatto bene gli esami anche il mio compagno di classe del convento, Ruggero. Ci incrociamo a volte a ripetizione dalla stessa professoressa. Sulla faccenda della religione lui non aveva parlato con nessuno, all'incontrario di me. Era ancora incerto se diventare cristiano e si rimestava i dubbi dentro. I suoi gli avevano chiesto di prepararsi alla maggiorità religiosa e lui aveva risposto cupamente «no». Persino una bicicletta gli avevano promesso, ma lui continuava con il suo «no». A me invece...

Con me mamma è venuta all'attacco subito: «Meglio cominciare a studiare ora per la "maggiorità", dopo ci sarà la nuova scuola, le nuove amicizie, le nuove cose da fare...».

Sto preparando quei famosi esami di «ottobre» e comincio a protestare che non ho voglia di altri studi. Le mie lamentele sono come sempre querimoniose e prolisse, ma mamma mi promette un vestito bianco lungo e scarpe nuove. E così ricomincio a studiare l'ebraico e le benedizioni rituali.

Mi prepara un rabbino che abita nel nostro stesso palazzo, ma in un'altra scala. La corrente elettrica non c'è e devo fare a piedi i miei cinque piani, più i sette che servono per arrivare a casa sua. È sera, le scale sono avvolte da un buio fitto e denso e io devo scendere e risalire alla sparuta luce di una candela stretta dalla mia mano vacillante. Mi sembra di sentire passi e respiri furtivi, mi sembra che qualcuno mi prenda prigioniero un piede e me lo tiri in basso: il terrore di quelle rampe che si moltiplicano nel nero supera tutti quelli che ho vissuto nei mesi del convento. Quando arrivo dal rabbino ripeto meccanicamente: «Baruch Atà Adonai...» pensando solo alla strada di ritorno. Leggo monotona l'ebraico che torna a riaffiorare da solo dai tanti anni di scuola «Polacco» e sotto il debole chiarore della candela mi sembra di vedere che il rabbino stia dormendo, ma non ne sono sicura.

A pochi giorni dall'esame e dalla festa, mamma mi dice che mia cugina si è ricordata di avere un meraviglioso vestito di taffetà verde acqua che sarebbe un peccato sprecare, ma le scarpe... le scarpe, quelle è sicuro, me le comprerà come promesso.

Il giorno della cerimonia sono tutta un fruscio in un corto abito verde azzurro, mentre i sandali sfavillano per conto loro. Il Rabbino capo mi mette la mano sulla testa per la benedizione e dice solenne: «Ti ho dato la prima e voglio darti anche la seconda». Non ho capito niente, ma poi mi spiegano emozionati che «la seconda» è quella del matrimonio. Davvero strano. Sì, perché il giorno dopo tutti ne parlano: il Rabbino è corso in Vaticano a convertirsi al cristianesimo.

Ecco, siamo nella nostra casa striminzita e rappezzata e con Maria, la nonna e i loro litigi ora siamo davvero stretti. La sera ci lasciano restare un po' alzate con loro come se fossimo diventate più grandi, mentre in verità è passato appena un anno da quando correvamo a piedi scalzi a Villa Sciarra. Nella penombra soffice e calda, quando c'è la corrente elettrica ascoltiamo tutti insieme la radio. Risuonano frasi misteriose scandite regolarmente a spezzare i nostri programmi preferiti. «*Il nonno ha la barba bianca... ripetiamo... il nonno ha la barba bianca...*». Sono messaggi che vanno lontano, dove ancora combattono... meglio non sapere, non capire troppo, come succede prima di addormentarsi quando tutto si confonde: è più dolce la nebbiolina ed essere cullati da quella nenia magica e amica.

Alla radio scrivo un giorno una lettera per partecipare a un gioco, forse un concorso. Sono ancora nel cerchio di mia madre e così corro a fargliela leggere, prima d'imbucare il foglietto nitido dove ho sforzato la scrittura al meglio.

«*Cara radio*» comincia la letterina, «*sono una bambina ebrea...*». Mia madre legge e con un grande gesto come di teatro comincia a strappare il foglio scritto in pezzi sempre più piccoli. La guardo sbalordita: che grande errore ci può mai essere? E anche se c'è da correggere, perché questo insolito rompere tutto? Dispetti così la mamma non li aveva mai fatti. Mamma non sembra arrabbiata, anzi, è quasi allegra e butta i pezzetti del mio lavoro in aria come se fossero coriandoli di carnevale. La guardo irosa e offesa. Anche mamma mi guarda, ma con una specie di ilare indulgenza: «Non sei una bambina ebrea, hai capito? Hai capito? Sei una bambina. Una bambina e basta».

Una bambina e basta.

She doesn't have to use the self-segregation she had grown accustomed to. She is just a girl and that's it.
because of regime

a girl? She has had to grow up too quickly

Nota sull'Autrice

Lia Levi, di famiglia piemontese, vive a Roma, dove ha diretto per trent'anni il mensile ebraico *Shalom.* Per le nostre edizioni ha pubblicato: *Una bambina e basta* (Premio Elsa Morante Opera Prima), *Quasi un'estate*, *L'Albergo della Magnolia* (Premio Moravia), *Tutti i giorni di tua vita*, *Il mondo è cominciato da un pezzo*, *L'amore mio non può*, *La sposa gentile* (Premio Alghero Donna e Premio Via Po), *La notte dell'oblio* e *Il braccialetto.* Nel 2012 le è stato conferito il Premio Pardès per la Letteratura Ebraica.

INDICE